Jean Racine

Andromaque (1667)

suivi d'une anthologie sur les héroïnes tragiques

Texte intégral suivi d'un dossier critique pour la préparation du bac français

Collection dirigée par
Johan Faerber

Édition annotée et commentée par
Laurence Rauline
agrégée de lettres modernes
docteur en littérature française de l'âge classique

Andromaque

Anthologie sur les héroïnes tragiques

REPÈRES CLÉS

POUR SITUER L'ŒUVRE

FICHES DE LECTURE

POUR APPROFONDIR SA LECTURE

THÈMES ET DOCUMENTS

POUR COMPARER

| THÈME 1 |

La mise en scène de la folie

| THÈME 2 |

Écrire la guerre

OBJECTIF BAC

POUR S'ENTRAÎNER

| SUJETS D'ÉCRIT |

| SUJETS D'ORAL |

| LECTURES DE L'IMAGE |

Andromaque

Tragédie

À Madame[1]

Madame,

Ce n'est pas sans sujet[2] que je mets votre illustre nom à la tête de cet ouvrage. Et de quel autre nom pourrais-je éblouir les yeux de mes lecteurs, que de celui dont mes spectateurs ont été si heureusement éblouis ? On savait que Votre Altesse Royale avait daigné prendre soin de la conduite[3] de ma tragédie ; on savait que vous m'aviez prêté quelques-unes de vos lumières pour y ajouter de nouveaux ornements ; on savait enfin que vous l'aviez honorée de quelques larmes dès la première lecture que je vous en fis. Pardonnez-moi, Madame, si j'ose me vanter de cet heureux commencement de sa destinée. Il me console bien glorieusement de la dureté de ceux qui ne voudraient pas s'en laisser toucher. Je leur permets de condamner l'*Andromaque* tant qu'ils voudront, pourvu qu'il me soit permis d'appeler[4] de toutes les subtilités de leur esprit au cœur de Votre Altesse Royale.

Mais, Madame, ce n'est pas seulement du cœur que vous jugez de la bonté d'un ouvrage, c'est avec une intelligence

---

1. Racine s'adresse à Henriette d'Angleterre (1644-1670), fille de Charles Ier d'Angleterre, épouse de Philippe d'Orléans, le frère de Louis XIV. Prisonnière pendant deux ans en Angleterre, durant son enfance, elle connut un sort que l'on a parfois rapproché de celui d'Andromaque.

2. Sans sujet : sans raison.

3. Conduite : préparation.

4. Appeler : faire appel (sens juridique).

qu'aucune fausse lueur ne saurait tromper. Pouvons-nous mettre sur la scène une histoire que vous ne possédiez[1] aussi bien que nous ? Pouvons-nous faire jouer une intrigue dont vous ne pénétriez[2] tous les ressorts ? Et pouvons-nous concevoir des sentiments si nobles et si délicats qui ne soient infiniment au-dessous de la noblesse et de la délicatesse de vos pensées ?

On sait, MADAME, et VOTRE ALTESSE ROYALE a beau s'en cacher, que, dans ce haut degré de gloire où la Nature et la Fortune ont pris plaisir de vous élever, vous ne dédaignez[3] pas cette gloire obscure que les gens de lettres s'étaient réservée. Et il semble que vous ayez voulu avoir autant d'avantage sur notre sexe, par les connaissances et par la solidité de votre esprit, que vous excellez dans le vôtre[4] par toutes les grâces qui vous environnent. La cour vous regarde comme l'arbitre de tout ce qui se fait d'agréable. Et nous qui travaillons pour plaire au public, nous n'avons plus que faire de demander aux savants si nous travaillons selon les règles[5]. La règle souveraine est de plaire à VOTRE ALTESSE ROYALE.

Voilà sans doute la moindre de vos excellentes qualités. Mais, MADAME, c'est la seule dont j'ai pu parler avec quelque connaissance ; les autres sont trop élevées au-dessus de moi. Je n'en puis parler sans les rabaisser par la faiblesse de mes

1. **Possédiez** : connaissiez.
2. **Pénétriez** : compreniez précisément.
3. **Dédaignez** : méprisez.
4. **Le vôtre** : votre sexe, le sexe féminin (par opposition à « notre sexe », le sexe masculin).
5. **Règles** : référence aux règles du théâtre classique (en particulier à la fameuse règle des trois unités : temps, lieu, action). Voir repère 2, p. 152-153.

pensées, et sans sortir de la profonde vénération[1] avec laquelle je suis,

MADAME,

de VOTRE ALTESSE ROYALE,

Le très humble, très obéissant,
et très fidèle serviteur,

RACINE.

1. **Vénération** : profond respect, qui s'apparente presque à de la dévotion.

Première préface

Virgile au troisième livre de l'*Énéide* (c'est Énée qui parle)[1] :

Littoraque Epiri legimus, portuque subimus
Chaonio, et celsam Buthroti ascendimus urbem [...]
Solemnes tum forte dapes et tristia dona [...]
Libabat cineri Andromache, Manesque vocabat
Hectoreum ad tumulum, viridi quem cespite inanem,
Et geminas, causam lacrymis, sacraverat aras [...]
Dejecit vultum, et demissa voce locuta est :
O felix una ante alias Priameia virgo,
Hostilem ad tumulum, Trojæ sub mœnibus altis,
Jussa mori, quae sortitus non pertulit ullos,
Nec victoris heri tetigit captiva cubile !
Nos, patria incensa, diversa per æquora vectæ,
Stirpis Achilleæ fastus, juvenemque superbum,
Servitio enixæ, tulimus, qui deinde secutus
Ledæam Hermionem, Lacedæmoniosque hymenæos [...]
Ast illum, ereptæ magno inflammatus amore
Conjugis, et scelerum Furiis agitatus, Orestes
Excipit incautum, patriasque obtruncat ad aras.

---

1. **Virgile** (70-19 av. J.-C.) : poète latin, auteur de l'*Énéide* (entre 29 et 19 av. J.-C.), épopée dont le héros est Énée.

Voilà, en peu de vers, tout le sujet de cette tragédie[1]. Voilà le lieu de la scène, l'action qui s'y passe, les quatre principaux acteurs, et même leurs caractères, excepté celui d'Hermione dont la jalousie et les emportements sont assez marqués dans l'*Andromaque* d'Euripide[2].

Mais véritablement mes personnages sont si fameux[3] dans l'Antiquité, que, pour peu qu'on la connaisse, on verra fort bien que je les ai rendus tels que les anciens poètes nous les ont donnés. Aussi n'ai-je pas pensé qu'il me fût permis de rien changer à leurs mœurs. Toute la liberté que j'ai prise, ç'a été d'adoucir un peu la férocité de Pyrrhus, que Sénèque, dans sa *Troade*[4], et Virgile, dans le second livre de l'*Énéide*, ont poussée beaucoup plus loin que je n'ai cru le devoir faire.

---

1. Référence à l'*Énéide* de Virgile, III, v. 292-293, 301, 303-305, 320-328, 330-332. « Nous longeons les côtes d'Épire, nous entrons dans le port de la Chaonie et nous montons vers les hauteurs de la ville de Buthrote. Ce jour-là justement, Andromaque présentait en libation aux cendres d'Hector un sacrifice et des offrandes funèbres, et elle invoquait ses Mânes près de son tombeau vide, couvert d'un vert gazon, et des deux autels qu'elle avait consacrés, elle y versait des larmes. [...] Elle baissa les yeux et dit à voix basse : Ô heureuse entre toutes, la vierge, fille de Priam, qui fut condamnée à mourir sur le tombeau d'un ennemi, sous les hautes murailles de Troie ! Elle n'eut à subir aucun partage par le sort, et n'entra point, captive, dans le lit du vainqueur, son maître. Mais nous, une fois notre patrie brûlée, transportée sur des mers lointaines, nous avons subi l'orgueil du fils d'Achille, sa morgue juvénile ; nous avons enfanté dans la servitude ; et il s'est ensuite entiché d'Hermione, de la race de Léda, jusqu'à l'épouser, cette Lacédémonienne. [...]. Alors Oreste, enflammé d'un violent amour pour la fiancée qu'on lui arrachait et harcelé par les Furies vengeresses des crimes, surprend Pyrrhus qui ne se méfiait pas et l'égorge devant les autels paternels. »

2. *Andromaque* d'Euripide (480-406 av. J.-C.) est une tragédie grecque écrite autour de 424-427 av. J.-C.

3. Fameux : connus, dont la réputation est grande.

4. *La Troade* de Sénèque (4 av. J.C. – 65 apr. J.-C.) est une tragédie latine écrite autour de 50-60 apr. J.-C.

Encore s'est-il trouvé des gens qui se sont plaints qu'il s'emportât contre Andromaque, et qu'il voulût épouser une captive à quelque prix que ce fût. J'avoue qu'il n'est pas assez résigné à la volonté de sa maîtresse, et que Céladon[1] a mieux connu que lui le parfait amour. Mais que faire ? Pyrrhus n'avait pas lu nos romans. Il était violent de son naturel, et tous les héros ne sont pas faits pour être des Céladons.

Quoi qu'il en soit, le public m'a été trop favorable pour m'embarrasser[2] du chagrin particulier de deux ou trois personnes qui voudraient qu'on réformât tous les héros de l'Antiquité pour en faire des héros parfaits. Je trouve leur intention fort bonne de vouloir qu'on ne mette sur la scène que des hommes impeccables. Mais je les prie de se souvenir que ce n'est point à moi de changer les règles du théâtre. Horace[3] nous recommande de dépeindre Achille farouche, inexorable[4], violent, tel qu'il était, et tel qu'on dépeint son fils. Aristote[5], bien éloigné de nous demander des héros parfaits, veut au contraire que les personnages tragiques, c'est-à-dire ceux dont le malheur fait la catastrophe[6] de la tragédie, ne soient ni tout à fait bons, ni tout à fait méchants. Il ne veut pas qu'ils soient extrêmement bons, parce que la punition d'un homme de bien exciterait plus l'indignation que la pitié du spectateur ; ni qu'ils soient méchants avec

---

1. Céladon : héros de *L'Astrée*, roman pastoral publié par Honoré d'Urfé à partir de 1607. Il est un modèle de l'amour galant.

2. Pour m'embarrasser : pour que je m'embarrasse.

3. Référence à l'*Art poétique* d'Horace (15 av. J.-C.), v. 120-122.

4. Inexorable : inflexible.

5. Référence au livre XIII de la *Poétique* d'Aristote (325-323 av. J.-C.).

6. Catastrophe : dernier temps de la tragédie, dénouement.

excès, parce qu'on n'a point pitié d'un scélérat[1]. Il faut donc qu'ils aient une bonté médiocre[2], c'est-à-dire une vertu capable de faiblesse, et qu'ils tombent dans le malheur par quelque faute qui les fasse plaindre sans les faire détester.

1. Scélérat : infâme, criminel.
2. Médiocre : moyenne (le terme n'a pas de connotation péjorative).

Seconde préface[1]

Virgile au troisième livre de l'*Énéide* ; c'est Énée qui parle[2] :

Littoraque Epiri legimus, portuque subimus
Chaonio, et celsam Buthroti ascendimus urbem [...]
Solemnes tum forte dapes et tristia dona [...]
Libabat cineri Andromache, Manesque vocabat
Hectoreum ad tumulum, viridi quem cespite inanem,
Et geminas, causam lacrymis, sacraverat aras [...]
Dejecit vultum, et demissa voce locuta est :
« O felix una ante alias Priameia virgo,
Hostilem ad tumulum, Trojae sub mœnibus altis,
Jussa mori, quæ sortitus non pertulit ullos,
Nec victoris heri tetigit captiva cubile !
Nos, patria incensa, diversa per æquora vectæ,
Stirpis Achilleæ fastus, juvenemque superbum,
Servitio enixæ, tulimus, qui deinde secutus
Ledæam Hermionem, Lacedæmoniosque hymenæos [...]
Ast illum, ereptæ magno inflammatus amore
Conjugis, et scelerum Furiis agitatus, Orestes
Excipit incautum, patriasque obtruncat ad aras[3]. »

---

1. Cette préface remplace la précédente à partir de 1676.

2. Voir note 1, p. 11.

3. Voir note 1, p. 12.

Voilà, en peu de vers, tout le sujet de cette tragédie, voilà le lieu de la scène, l'action qui s'y passe, les quatre principaux acteurs, et même leurs caractères, excepté celui d'Hermione dont la jalousie et les emportements sont assez marqués dans l'*Andromaque* d'Euripide[1].

C'est presque la seule chose que j'emprunte ici de cet auteur. Car, quoique ma tragédie porte le même nom que la sienne, le sujet en est cependant très différent. Andromaque, dans Euripide, craint pour la vie de Molossus, qui est un fils qu'elle a eu de Pyrrhus et qu'Hermione veut faire mourir avec sa mère. Mais ici il ne s'agit point de Molossus : Andromaque ne connaît point d'autre mari qu'Hector, ni d'autre fils qu'Astyanax. J'ai cru en cela me conformer à l'idée que nous avons maintenant de cette princesse. La plupart de ceux qui ont entendu parler d'Andromaque ne la connaissaient guère que pour la veuve d'Hector et pour la mère d'Astyanax. On ne croit point qu'elle doive aimer ni un autre mari, ni un autre fils ; et je doute que les larmes d'Andromaque eussent fait sur l'esprit de mes spectateurs l'impression qu'elles y ont faite, si elles avaient coulé pour un autre fils que celui qu'elle avait d'Hector.

Il est vrai que j'ai été obligé de faire vivre Astyanax un peu plus qu'il n'a vécu[2] ; mais j'écris dans un pays où cette liberté ne pouvait pas être mal reçue. Car, sans parler de Ronsard, qui a choisi ce même Astyanax pour le héros de sa *Franciade*[3], qui

1. Voir note 2, p. 12.

2. Astyanax est le fils d'Hector et d'Andromaque. Euripide évoque son meurtre dans *Les Troyennes*. Racine le fait survivre au sac de Troie.

3. *La Franciade* (1572) est une épopée de Ronsard (1524-1585), poète de la Pléiade, qui fait d'Astyanax, sous le nom de Francus, le fondateur du royaume de France.

ne sait que l'on fait descendre nos anciens rois de ce fils d'Hector, et que nos vieilles chroniques sauvent la vie à ce jeune prince, après la désolation de son pays, pour en faire le fondateur de notre monarchie ?

Combien Euripide a-t-il été plus hardi dans sa tragédie d'*Hélène*[1] ! il y choque ouvertement la créance[2] commune de toute la Grèce : il suppose qu'Hélène n'a jamais mis le pied dans Troie, et qu'après l'embrasement de cette ville, Ménélas trouve sa femme en Égypte, dont elle n'était point partie ; tout cela fondé sur une opinion qui n'était reçue que parmi les Égyptiens, comme on le peut voir dans Hérodote[3].

Je ne crois pas que j'eusse besoin de cet exemple d'Euripide pour justifier le peu de liberté que j'ai prise. Car il y a bien de la différence entre détruire le principal fondement d'une fable[4] et en altérer[5] quelques incidents, qui changent presque de face dans toutes les mains qui les traitent. Ainsi Achille, selon la plupart des poètes, ne peut être blessé qu'au talon, quoique Homère le fasse blesser au bras[6], et ne le croie invulnérable en aucune partie de son corps. Ainsi Sophocle[7] fait mourir Jocaste[8] aussitôt après la reconnaissance d'Œdipe ; tout au contraire d'Euripide[9] qui la fait vivre jusqu'au combat

1. Référence à *Hélène* (412 av. J.-C.) d'Euripide.

2. Créance : croyance, opinion.

3. Hérodote : historien grec du Ve siècle av. J.-C. (*Histoires*, II, CXIII-CXV).

4. Fable : intrigue, sujet d'un poème dramatique.

5. Altérer : modifier.

6. Voir l'*Iliade* (VIIIe ou IXe siècle av. J.-C.), épopée d'Homère. Achille est blessé par Astéropée.

7. Sophocle : auteur tragique grec (496 ou 495 av. J.-C. – 406 ou 405 av. J.-C.). Racine fait allusion à l'une de ses pièces : *Œdipe roi* (entre 430 et 420 av. J.-C.).

8. Jocaste est la mère et l'épouse d'Œdipe. L'un et l'autre ignorent leur véritable identité. Quand Œdipe comprend qu'elle est sa mère, Jocaste se pend.

9. Allusion aux *Phéniciennes* (412-408 av. J.-C.), tragédie grecque d'Euripide.

et à la mort de ses deux fils. Et c'est à propos de quelque contrariété de cette nature qu'un ancien commentateur de Sophocle remarque fort bien « qu'il ne faut point s'amuser à chicaner[1] les poètes pour quelques changements qu'ils ont pu faire dans la fable[2] ; mais qu'il faut s'attacher à considérer l'excellent usage qu'ils ont fait de ces changements, et la manière ingénieuse dont ils ont su accommoder la fable à leur sujet ».

1. **Chicaner** : critiquer sans raison.
2. **Fable** : voir note 4, p. 17.

Personnages

ANDROMAQUE, veuve d'Hector, captive de Pyrrhus.
PYRRHUS, fils d'Achille, roi d'Épire[1].
ORESTE, fils d'Agamemnon.
HERMIONE, fille d'Hélène, accordée[2] avec Pyrrhus.
PYLADE, ami d'Oreste.
CLÉONE, confidente d'Hermione.
CÉPHISE, confidente d'Andromaque.
PHŒNIX, gouverneur d'Achille, et ensuite de Pyrrhus.
Suite d'Oreste.

La scène est à Buthrote, ville d'Épire, dans une salle du palais de Pyrrhus.

---

1. Épire : région montagneuse du nord-ouest de la Grèce.
2. Accordée : fiancée.

Acte premier

Scène première

Oreste, Pylade

Oreste

Oui, puisque je retrouve un ami si fidèle,
Ma fortune[1] va prendre une face nouvelle ;
Et déjà son courroux[2] semble s'être adouci
Depuis qu'elle a pris soin de nous rejoindre[3] ici.
5 Qui l'eût dit, qu'un rivage à mes vœux[4] si funeste
Présenterait d'abord[5] Pylade aux yeux d'Oreste ?
Qu'après plus de six mois que je t'avais perdu,
À la cour de Pyrrhus tu me serais rendu ?

Pylade

J'en rends grâces au ciel qui, m'arrêtant sans cesse,
10 Semblait m'avoir fermé le chemin de la Grèce,
Depuis le jour fatal que[6] la fureur des eaux

---

1. Fortune : sort.
2. Courroux : colère.
3. Rejoindre : réunir.
4. Vœux : amour, désir d'être aimé.
5. D'abord : dès l'abord, tout de suite.
6. Que : où.

Presque aux yeux de l'Épire écarta[1] nos vaisseaux.
Combien, dans cet exil, ai-je souffert d'alarmes !
Combien à vos malheurs ai-je donné de larmes,
15 Craignant toujours pour vous quelque nouveau danger
Que ma triste amitié ne pouvait partager !
Surtout je redoutais cette mélancolie
Où j'ai vu si longtemps votre âme ensevelie.
Je craignais que le ciel, par un cruel secours,
20 Ne vous offrît la mort que vous cherchiez toujours.
Mais je vous vois, Seigneur ; et si j'ose le dire,
Un destin plus heureux vous conduit en Épire :
Le pompeux appareil[2] qui suit ici vos pas
N'est point d'un malheureux qui cherche le trépas[3].

ORESTE

25 Hélas ! qui peut savoir le destin qui m'amène ?
L'amour me fait ici chercher une inhumaine.
Mais qui sait ce qu'il doit ordonner de mon sort,
Et si je viens chercher ou la vie ou la mort ?

PYLADE

Quoi ? votre âme à l'amour en esclave asservie
30 Se repose sur lui du soin de votre vie ?
Par quel charme[4], oubliant tant de tourments soufferts,
Pouvez-vous consentir à rentrer dans ses fers[5] ?

1. Écarta : sépara.

2. Pompeux appareil : cortège somptueux.

3. Trépas : mort.

4. Charme : attrait surnaturel, sortilège.

5. Rentrer dans ses fers : vous soumettre à elle, en lui faisant la cour (sens imagé, qui renvoie à l'image courtoise de l'amant esclave de celle qu'il aime).

Pensez-vous qu'Hermione, à Sparte inexorable[1],
Vous prépare en Épire un sort plus favorable ?
35 Honteux d'avoir poussé tant de vœux superflus,
Vous l'abhorriez[2] ; enfin vous ne m'en parliez plus.
Vous me trompiez, Seigneur.

ORESTE

Je me trompais moi-même !
Ami, n'accable point un malheureux qui t'aime.
T'ai-je jamais[3] caché mon cœur et mes désirs ?
40 Tu vis naître ma flamme et mes premiers soupirs.
Enfin, quand Ménélas[4] disposa de sa fille
En faveur de Pyrrhus, vengeur de sa famille[5],
Tu vis mon désespoir ; et tu m'as vu depuis
Traîner de mers en mers ma chaîne et mes ennuis.
45 Je te vis à regret, en cet état funeste,
Prêt à suivre partout le déplorable[6] Oreste,
Toujours de ma fureur interrompre le cours,
Et de moi-même enfin me sauver tous les jours.
Mais quand je me souvins que parmi tant d'alarmes
50 Hermione à Pyrrhus prodiguait tous ses charmes,
Tu sais de quel courroux[7] mon cœur alors épris
Voulut en l'oubliant punir tous ses mépris.
Je fis croire et je crus ma victoire certaine ;

1. Inexorable : inflexible.
2. Abhorriez : détestiez.
3. Jamais : un jour.
4. Ménélas : mari d'Hélène, père d'Hermione.
5. Pyrrhus est le meurtrier de Priam, le père de Pâris, qui avait enlevé Hélène, femme de Ménélas. Cet enlèvement est à l'origine de la guerre de Troie.
6. Déplorable : qui inspire la pitié.
7. Courroux : colère.

Je pris tous mes transports[1] pour des transports de haine.
55 Détestant ses rigueurs, rabaissant ses attraits,
Je défiais ses yeux de me troubler jamais[2].
Voilà comme[3] je crus étouffer ma tendresse.
En ce calme trompeur j'arrivai dans la Grèce,
Et je trouvai d'abord ses princes rassemblés,
60 Qu'un péril assez grand semblait avoir troublés.
J'y courus. Je pensai que la guerre et la gloire
De soins plus importants rempliraient ma mémoire;
Que mes sens reprenant leur première vigueur,
L'amour achèverait de sortir de mon cœur.
65 Mais admire avec moi le sort dont la poursuite
Me fit courir alors au piège que j'évite.
J'entends de tous côtés qu'on menace Pyrrhus;
Toute la Grèce éclate en murmures[4] confus;
On se plaint qu'oubliant son sang[5] et sa promesse
70 Il élève en sa cour l'ennemi de la Grèce,
Astyanax, d'Hector jeune et malheureux fils,
Reste[6] de tant de rois sous Troie ensevelis.
J'apprends que pour ravir[7] son enfance au supplice
Andromaque trompa l'ingénieux Ulysse,
75 Tandis qu'un autre enfant, arraché de ses bras,
Sous le nom de son fils fut conduit au trépas[8].

1. **Transports** : passions, émotions.
2. **Jamais** : un jour.
3. **Voilà comme** : voilà comment.
4. **Murmures** : protestations, récriminations.
5. **Sang** : famille.
6. **Reste** : héritier, survivant.
7. **Ravir** : dérober, faire échapper.
8. **Trépas** : mort.

On dit que peu sensible aux charmes d'Hermione
Mon rival porte ailleurs son cœur et sa couronne.
Ménélas, sans le croire, en paraît affligé,
80 Et se plaint d'un hymen[1] si longtemps négligé.
Parmi les déplaisirs où son âme se noie,
Il s'élève en la mienne une secrète joie :
Je triomphe ; et pourtant je me flatte[2] d'abord
Que la seule vengeance excite ce transport[3].
85 Mais l'ingrate en mon cœur reprit bientôt sa place :
De mes feux[4] mal éteints je reconnus la trace ;
Je sentis que ma haine allait finir son cours,
Ou plutôt je sentis que je l'aimais toujours.
Ainsi de tous les Grecs je brigue le suffrage[5].
90 On m'envoie à Pyrrhus ; j'entreprends ce voyage,
Je viens voir si l'on peut arracher de ses bras
Cet enfant dont la vie alarme tant d'États.
Heureux si je pouvais, dans l'ardeur qui me presse,
Au lieu d'Astyanax, lui ravir ma princesse !
95 Car enfin n'attends pas que mes feux redoublés
Des périls les plus grands puissent être troublés.
Puisque après tant d'efforts ma résistance est vaine,
Je me livre en aveugle au destin qui m'entraîne.
J'aime : je viens chercher Hermione en ces lieux,
100 La fléchir[6], l'enlever, ou mourir à ses yeux.
Toi qui connais Pyrrhus, que penses-tu qu'il fasse ?

---

1. **Hymen** : mariage.
2. **Je me flatte** : j'essaie de me persuader.
3. **Transport** : émotion.
4. **Feux** : sentiments amoureux.
5. **Je brigue le suffrage** : je sollicite la confiance.
6. **La fléchir** : l'émouvoir, lui inspirer des sentiments.

Dans sa cour, dans son cœur, dis-moi ce qui se passe.
Mon Hermione encor[1] le tient-elle asservi ?
Me rendra-t-il, Pylade, un bien qu'il m'a ravi[2] ?

PYLADE

105 Je vous abuserais[3] si j'osais vous promettre
Qu'entre vos mains, Seigneur, il voulût la remettre.
Non que de sa conquête il paraisse flatté ;
Pour la veuve d'Hector ses feux ont éclaté ;
Il l'aime. Mais enfin cette veuve inhumaine
110 N'a payé jusqu'ici son amour que de haine ;
Et chaque jour encore on lui voit tout tenter
Pour fléchir sa captive, ou pour l'épouvanter.
De son fils qu'il lui cache il menace la tête[4],
Et fait couler des pleurs qu'aussitôt il arrête.
115 Hermione elle-même a vu plus de cent fois
Cet amant[5] irrité revenir sous ses lois,
Et de ses vœux troublés lui rapportant l'hommage,
Soupirer à ses pieds moins d'amour que de rage.
Ainsi n'attendez pas que l'on puisse aujourd'hui
120 Vous répondre d'un cœur si peu maître de lui :
Il peut, Seigneur, il peut, dans ce désordre extrême,
Épouser ce qu'il hait, et punir ce qu'il aime.

ORESTE

Mais dis-moi de quel œil Hermione peut voir

---

1. **Encor** : encore (licence poétique).
2. **Ravi** : pris, dérobé.
3. **Abuserais** : tromperais.
4. **Tête** : vie.
5. **Amant** : celui qui aime, soupirant.

Son hymen[1] différé, ses charmes sans pouvoir.

PYLADE

125 Hermione, Seigneur, au moins en apparence,
Semble de son amant dédaigner[2] l'inconstance,
Et croit que trop heureux de fléchir sa rigueur
Il la viendra presser de reprendre son cœur.
Mais je l'ai vue enfin me confier ses larmes ;
130 Elle pleure en secret le mépris de ses charmes.
Toujours prête à partir, et demeurant toujours,
Quelquefois elle appelle Oreste à son secours.

ORESTE

Ah ! si je le croyais, j'irais bientôt, Pylade,
Me jeter...

PYLADE

Achevez, Seigneur, votre ambassade.
135 Vous attendez le roi : parlez, et lui montrez[3]
Contre le fils d'Hector tous les Grecs conjurés.
Loin de leur accorder ce fils de sa maîtresse[4],
Leur haine ne fera qu'irriter[5] sa tendresse.
Plus on les veut brouiller, plus on va les unir.
140 Pressez[6], demandez tout, pour ne rien obtenir.
Il vient.

1. **Hymen** : mariage.
2. **Dédaigner** : mépriser.
3. **Lui montrez** : montrez-lui. Cet ordre des mots n'est pas inhabituel dans la langue du XVIIe siècle.
4. **Maîtresse** : femme aimée.
5. **Irriter** : rendre plus vive, exciter.
6. **Pressez** : insistez.

ORESTE

Eh bien ! va donc disposer la cruelle
À revoir un amant qui ne vient que pour elle.

Scène 2

PYRRHUS, ORESTE, PHŒNIX

ORESTE

Avant que tous les Grecs vous parlent par ma voix,
Souffrez[1] que j'ose ici me flatter de leur choix,
145 Et qu'à vos yeux, Seigneur, je montre quelque joie
De voir le fils d'Achille et le vainqueur de Troie.
Oui, comme ses exploits nous admirons vos coups[2] :
Hector tomba sous lui, Troie expira sous vous ;
Et vous avez montré, par une heureuse[3] audace,
150 Que le fils seul d'Achille a pu remplir sa place.
Mais, ce qu'il n'eût point fait, la Grèce avec douleur
Vous voit du sang troyen relever le malheur,
Et vous laissant toucher d'une pitié funeste,
D'une guerre si longue entretenir le reste[4].
155 Ne vous souvient-il plus, Seigneur, quel fut Hector ?
Nos peuples affaiblis s'en souviennent encor.
Son nom seul fait frémir nos veuves et nos filles,
Et dans toute la Grèce il n'est point de familles

1. Souffrez : permettez.
2. Coups : hauts faits, exploits.
3. Heureuse : couronnée de succès.
4. Le reste : le survivant (allusion à Astyanax).

Qui ne demandent compte à ce malheureux fils
160 D'un père ou d'un époux qu'Hector leur a ravis.
Et qui sait ce qu'un jour ce fils peut entreprendre ?
Peut-être dans nos ports nous le verrons descendre,
Tel qu'on a vu son père embraser nos vaisseaux,
Et, la flamme à la main, les suivre sur les eaux[1].
165 Oserai-je, Seigneur, dire ce que je pense ?
Vous-même de vos soins craignez la récompense,
Et que dans votre sein ce serpent élevé
Ne vous punisse un jour de l'avoir conservé.
Enfin de tous les Grecs satisfaites l'envie,
170 Assurez leur vengeance, assurez votre vie ;
Perdez un ennemi d'autant plus dangereux
Qu'il s'essaiera sur vous à combattre contre eux.

PYRRHUS

La Grèce en ma faveur est trop inquiétée.
De soins plus importants je l'ai crue agitée,
175 Seigneur, et sur le nom de son ambassadeur,
J'avais dans ses projets conçu plus de grandeur.
Qui croirait en effet qu'une telle entreprise
Du fils d'Agamemnon méritât l'entremise[2] ;
Qu'un peuple tout entier, tant de fois triomphant,
180 N'eût daigné conspirer que la mort d'un enfant ?
Mais à qui prétend-on que je le sacrifie ?
La Grèce a-t-elle encor quelque droit sur sa vie ?
Et seul de tous les Grecs ne m'est-il pas permis

---

1. Allusion à une attaque menée par Hector, qui incendia la flotte des Grecs. À cette occasion, il tua Patrocle, le meilleur ami d'Achille.

2. Entremise : intervention, aide.

D'ordonner[1] d'un captif que le sort m'a soumis ?
185 Oui, Seigneur, lorsqu'au pied des murs fumants de Troie
Les vainqueurs tout sanglants partagèrent leur proie,
Le sort, dont les arrêts[2] furent alors suivis,
Fit tomber en mes mains Andromaque et son fils.
Hécube près d'Ulysse acheva sa misère ;
190 Cassandre dans Argos a suivi votre père[3] ;
Sur eux, sur leurs captifs, ai-je étendu mes droits ?
Ai-je enfin disposé du fruit de leurs exploits ?
On craint qu'avec Hector Troie un jour ne renaisse ;
Son fils peut me ravir le jour que je lui laisse :
195 Seigneur, tant de prudence entraîne trop de soin ;
Je ne sais point prévoir les malheurs de si loin.
Je songe quelle était autrefois cette ville
Si superbe en remparts, en héros si fertile,
Maîtresse de l'Asie[4] ; et je regarde enfin
200 Quel fut le sort de Troie, et quel est son destin.
Je ne vois que des tours que la cendre a couvertes,
Un fleuve teint de sang, des campagnes désertes,
Un enfant dans les fers ; et je ne puis songer
Que Troie en cet état aspire à se venger.
205 Ah ! si du fils d'Hector la perte était jurée,
Pourquoi d'un an entier l'avons-nous différée ?
Dans le sein de Priam n'a-t-on pu[5] l'immoler[6] ?

---

1. Ordonner : disposer.

2. Arrêts : décisions, jugements.

3. Pour éviter la mort, Hécube, femme de Priam, a été l'esclave d'Ulysse. Cassandre, fille de Priam et d'Hécube, a été l'esclave d'Agamemnon.

4. Troie contrôlait ce que l'on appelle aujourd'hui l'Asie Mineure.

5. N'a-t-on pu : n'aurait-on pas pu.

6. Immoler : sacrifier.

Sous tant de morts, sous Troie, il fallait l'accabler.
Tout était juste alors : la vieillesse et l'enfance
210 En vain sur leur faiblesse appuyaient leur défense ;
La victoire et la nuit, plus cruelles que nous,
Nous excitaient au meurtre, et confondaient nos coups.
Mon courroux[1] aux vaincus ne fut que trop sévère.
Mais que ma cruauté survive à ma colère ?
215 Que malgré la pitié dont je me sens saisir,
Dans le sang d'un enfant je me baigne à loisir[2] ?
Non, Seigneur : que les Grecs cherchent quelque autre proie ;
Qu'ils poursuivent ailleurs ce qui reste de Troie :
De mes inimitiés[3] le cours est achevé ;
220 L'Épire sauvera ce que Troie a sauvé.

ORESTE

Seigneur, vous savez trop avec quel artifice[4]
Un faux Astyanax fut offert au supplice
Où le seul fils d'Hector devait[5] être conduit.
Ce n'est pas les Troyens, c'est Hector qu'on poursuit.
225 Oui, les Grecs sur le fils persécutent le père[6] ;
Il a par trop de sang acheté leur colère,
Ce n'est que dans le sien qu'elle peut expirer,
Et jusque dans l'Épire il les peut attirer[7].
Prévenez[8]-les.

---

1. Courroux : colère.
2. À loisir : délibérément, de sang-froid.
3. Inimitiés : haines.
4. Artifice : ruse.
5. Devait : aurait dû.
6. Sur le fils persécutent le père : persécutent le père à travers le fils.
7. Il les peut attirer : il peut les attirer. Cet ordre des mots n'est pas inhabituel dans la langue classique.
8. Prévenez : devancez.

PYRRHUS

Non, non. J'y consens avec joie !
230 Qu'ils cherchent dans l'Épire une seconde Troie ;
Qu'ils confondent leur haine, et ne distinguent plus
Le sang qui les fit vaincre et celui des vaincus.
Aussi bien ce n'est pas la première injustice
Dont la Grèce d'Achille a payé le service[1].
235 Hector en profita, Seigneur ; et quelque jour
Son fils en pourrait bien profiter à son tour.

ORESTE

Ainsi la Grèce en vous trouve un enfant rebelle ?

PYRRHUS

Et je n'ai donc vaincu que pour dépendre d'elle ?

ORESTE

Hermione, Seigneur, arrêtera vos coups :
240 Ses yeux s'opposeront entre son père et vous.

PYRRHUS

Hermione, Seigneur, peut m'être toujours chère,
Je puis l'aimer, sans être esclave de son père ;
Et je saurai peut-être accorder[2] quelque jour
Les soins de ma grandeur et ceux de mon amour.
245 Vous pouvez cependant[3] voir la fille d'Hélène :

1. Achille s'était placé au service des Grecs, pendant la guerre de Troie. Mais Agamemnon, contraint de renoncer à sa captive, lui avait pris la sienne : Briséis. Pour protester, Achille ne retourna pas au combat.

2. Accorder : mettre en accord.

3. Cependant : pendant ce temps.

Du sang qui vous unit je sais l'étroite chaîne[1].
Après cela, Seigneur, je ne vous retiens plus,
Et vous pourrez aux Grecs annoncer mon refus.

Scène 3

PYRRHUS, PHŒNIX

PHŒNIX

Ainsi vous l'envoyez aux pieds de sa maîtresse ?

PYRRHUS

250 On dit qu'il a longtemps brûlé[2] pour la princesse.

PHŒNIX

Mais si ce feu[3], Seigneur, vient à se rallumer ?
S'il lui rendait son cœur, s'il s'en faisait aimer ?

PYRRHUS

Ah ! qu'ils s'aiment, Phœnix ! J'y consens. Qu'elle parte.
Que charmés l'un de l'autre ils retournent à Sparte !
255 Tous nos ports sont ouverts et pour elle et pour lui.
Qu'elle m'épargnerait de contrainte et d'ennui[4] !

PHŒNIX

Seigneur...

1. Hermione et Oreste sont cousins. Hermione est la fille de Ménélas et d'Hélène, Oreste est le fils d'Agamemnon et de Clytemnestre. Agamemnon et Ménélas sont frères et leurs mères, Clytemnestre et Hélène, sont sœurs.

2. Brûlé : éprouvé de l'amour.

3. Feu : sentiment amoureux.

4. Ennui : souffrance, tourment (sens fort).

PYRRHUS

Une autre fois je t'ouvrirai mon âme[1] :
Andromaque paraît.

Scène 4

PYRRHUS, ANDROMAQUE, CÉPHISE

PYRRHUS

Me cherchiez-vous, Madame ?
Un espoir si charmant me serait-il permis ?

ANDROMAQUE

260 Je passais jusqu'aux lieux où l'on garde mon fils.
Puisqu'une fois le jour vous souffrez[2] que je voie
Le seul bien qui me reste et d'Hector et de Troie,
J'allais, Seigneur, pleurer un moment avec lui :
Je ne l'ai point encore embrassé d'aujourd'hui.

PYRRHUS

265 Ah, Madame ! les Grecs, si j'en crois leurs alarmes,
Vous donneront bientôt d'autres sujets de larmes.

ANDROMAQUE

Et quelle est cette peur dont leur cœur est frappé,
Seigneur ? Quelque Troyen vous est-il échappé ?

PYRRHUS

Leur haine pour Hector n'est pas encore éteinte.
270 Ils redoutent son fils.

---

1. **Je t'ouvrirai mon âme** : je te parlerai à cœur ouvert.
2. **Souffrez** : tolérez, acceptez.

ANDROMAQUE

Digne objet de leur crainte[1] !
Un enfant malheureux qui ne sait pas encor
Que Pyrrhus est son maître, et qu'il est fils d'Hector.

PYRRHUS

Tel qu'il est, tous les Grecs demandent qu'il périsse.
Le fils d'Agamemnon vient hâter son supplice.

ANDROMAQUE

275 Et vous prononcerez un arrêt si cruel[2] ?
Est-ce mon intérêt[3] qui le rend criminel ?
Hélas ! on ne craint point qu'il venge un jour son père ;
On craint qu'il n'essuyât les larmes de sa mère.
Il m'aurait tenu lieu d'un père et d'un époux ;
280 Mais il me faut tout perdre, et toujours par vos coups[4].

PYRRHUS

Madame, mes refus ont prévenu vos larmes.
Tous les Grecs m'ont déjà menacé de leurs armes,
Mais dussent-ils encore, en repassant les eaux[5],
Demander votre fils avec mille vaisseaux,
285 Coûtât-il tout le sang qu'Hélène a fait répandre[6],
Dussé-je après dix ans voir mon palais en cendre,

---

1. Cette remarque d'Andromaque est ironique.

2. Vous prononcerez un arrêt si cruel : vous le condamnerez de manière si cruelle.

3. Mon intérêt : l'amour que je lui porte, le fait que je sois sa mère.

4. Achille, père de Pyrrhus, a tué Hector, l'époux d'Andromaque, ainsi qu'Éetion, son père, avec ses sept fils.

5. En repassant les eaux : en passant par la mer.

6. « Le sang qu'Hélène a fait répandre » est une allusion aux victimes de la guerre de Troie.

Je ne balance point[1], je vole à son secours.
Je défendrai sa vie aux dépens de mes jours.
Mais parmi ces périls où je cours pour vous plaire,
290 Me refuserez-vous un regard moins sévère ?
Haï de tous les Grecs, pressé de tous côtés,
Me faudra-t-il combattre encor vos cruautés ?
Je vous offre mon bras. Puis-je espérer encore
Que vous accepterez un cœur qui vous adore ?
295 En combattant pour vous, me sera-t-il permis
De ne vous point compter parmi mes ennemis ?

ANDROMAQUE

Seigneur, que faites-vous, et que dira la Grèce ?
Faut-il qu'un si grand cœur montre tant de faiblesse ?
Voulez-vous qu'un dessein[2] si beau, si généreux,
300 Passe pour le transport[3] d'un esprit amoureux ?
Captive, toujours triste, importune à moi-même[4],
Pouvez-vous souhaiter qu'Andromaque vous aime ?
Quels charmes ont pour vous des yeux infortunés
Qu'à des pleurs éternels vous avez condamnés ?
305 Non, non ; d'un ennemi respecter la misère,
Sauver des malheureux, rendre un fils à sa mère,
De cent peuples pour lui combattre la rigueur,
Sans me faire payer son salut de mon cœur,
Malgré moi, s'il le faut, lui donner un asile :
310 Seigneur, voilà des soins dignes du fils d'Achille.

---

1. **Je ne balance point** : je n'hésite pas.
2. **Dessein** : projet, intention.
3. **Transport** : élan, émotion.
4. « Captive, triste, importune » se rapportent à Andromaque. Une construction régulière aurait imposé que ces adjectifs se rapportent au sujet « vous ».

PYRRHUS

Hé quoi! votre courroux[1] n'a-t-il pas eu son cours?
Peut-on haïr sans cesse? et punit-on toujours?
J'ai fait des malheureux, sans doute; et la Phrygie[2]
Cent fois de votre sang a vu ma main rougie;
315 Mais que vos yeux sur moi se sont bien exercés[3]!
Qu'ils m'ont vendu bien cher les pleurs qu'ils ont versés!
De combien de remords m'ont-ils rendu la proie!
Je souffre tous les maux que j'ai faits devant Troie.
Vaincu, chargé de fers, de regrets consumé,
320 Brûlé de plus de feux[4] que je n'en allumai,
Tant de soins, tant de pleurs, tant d'ardeurs inquiètes...
Hélas! fus-je jamais si cruel que vous l'êtes?
Mais enfin, tour à tour, c'est assez nous punir:
Nos ennemis communs devraient nous réunir.
325 Madame, dites-moi seulement que j'espère[5],
Je vous rends votre fils, et je lui sers de père;
Je l'instruirai moi-même à venger les Troyens;
J'irai punir les Grecs de vos maux et des miens.
Animé d'un regard, je puis tout entreprendre:
330 Votre Ilion[6] encor peut sortir de sa cendre;
Je puis, en moins de temps que les Grecs ne l'ont pris,
Dans ses murs relevés couronner votre fils.

---

1. Courroux : colère.

2. Phrygie : région de Troie.

3. Se sont bien exercés : m'ont causé de souffrances.

4. Feux : à la fois incendies et sentiments amoureux (jeu sur le double sens du mot).

5. Dites-moi seulement que j'espère : dites-moi seulement d'espérer.

6. Ilion : autre nom de Troie.

ANDROMAQUE

Seigneur, tant de grandeurs ne nous touchent plus guère.
Je les lui promettais tant qu'a vécu son père.
335 Non, vous n'espérez plus de nous revoir encor,
Sacrés murs que n'a pu conserver mon Hector!
À de moindres faveurs des malheureux prétendent,
Seigneur: c'est un exil que mes pleurs vous demandent.
Souffrez[1] que, loin des Grecs, et même loin de vous,
340 J'aille cacher mon fils, et pleurer mon époux.
Votre amour contre nous allume trop de haine.
Retournez, retournez à la fille d'Hélène.

PYRRHUS

Et le puis-je, Madame? Ah! que vous me gênez[2]!
Comment lui rendre un cœur que vous me retenez?
345 Je sais que de mes vœux on lui promit l'empire;
Je sais que pour régner elle vint dans l'Épire;
Le sort vous y voulut l'une et l'autre[3] amener:
Vous, pour porter des fers, elle, pour en donner.
Cependant ai-je pris quelque soin de lui plaire?
350 Et ne dirait-on pas, en voyant au contraire
Vos charmes tout-puissants, et les siens dédaignés[4],
Qu'elle est ici captive et que vous y régnez?
Ah! qu'un seul des soupirs que mon cœur vous envoie,
S'il s'échappait vers elle y porterait de joie.

---

1. Souffrez : acceptez.
2. Gênez : faites souffrir (sens fort).
3. L'une et l'autre : Andromaque et Hermione.
4. Dédaignés : méprisés.

ANDROMAQUE

355 Et pourquoi vos soupirs seraient-ils repoussés ?
Aurait-elle oublié vos services passés ?
Troie, Hector, contre vous, révoltent-ils son âme ?
Aux cendres d'un époux doit-elle enfin sa flamme ?
Et quel époux encore ! Ah ! souvenir cruel !
360 Sa mort seule a rendu votre père immortel[1] ;
Il doit au sang d'Hector tout l'éclat de ses armes,
Et vous n'êtes tous deux connus que par mes larmes.

PYRRHUS

Eh bien, Madame, eh bien ! il faut vous obéir :
Il faut vous oublier, ou plutôt vous haïr.
365 Oui, mes vœux ont trop loin poussé leur violence
Pour ne plus s'arrêter que dans l'indifférence ;
Songez-y bien : il faut désormais que mon cœur,
S'il n'aime avec transport[2], haïsse avec fureur.
Je n'épargnerai rien dans ma juste colère :
370 Le fils me répondra[3] des mépris de la mère ;
La Grèce le demande, et je ne prétends pas
Mettre toujours ma gloire à sauver des ingrats.

ANDROMAQUE

Hélas ! il mourra donc. Il n'a pour sa défense
Que les pleurs de sa mère et que son innocence.
375 Et peut-être après tout, en l'état où je suis,
Sa mort avancera la fin de mes ennuis[4].

1. **Immortel** : illustre pour l'éternité.
2. **Transport** : violente émotion, force.
3. **Me répondra** : sera tenu pour responsable de.
4. **Ennuis** : tourments, souffrances (sens fort).

Je prolongeais pour lui ma vie et ma misère ;
Mais enfin sur ses pas j'irai revoir son père.
Ainsi, tous trois, Seigneur, par vos soins réunis,
380 Nous vous...

PYRRHUS

Allez, Madame, allez voir votre fils.
Peut-être, en le voyant, votre amour plus timide
Ne prendra pas toujours sa colère pour guide.
Pour savoir nos destins j'irai vous retrouver.
Madame, en l'embrassant, songez à le sauver.

Acte II

Scène première

HERMIONE, CLÉONE

HERMIONE

385 Je fais ce que tu veux. Je consens qu'il me voie.
Je lui veux bien encore accorder cette joie.
Pylade va bientôt conduire ici ses pas ;
Mais si je m'en croyais, je ne le verrais pas.

CLÉONE

Et qu'est-ce que sa vue a pour vous de funeste ?
390 Madame, n'est-ce pas toujours le même Oreste
Dont vous avez cent fois souhaité le retour,
Et dont vous regrettiez la constance et l'amour ?

HERMIONE

C'est cet amour payé de trop d'ingratitude
Qui me rend en ces lieux sa présence si rude.
395 Quelle honte pour moi, quel triomphe pour lui,
De voir mon infortune égaler son ennui[1] !
Est-ce là, dira-t-il, cette fière Hermione ?

---

1. Ennui : tourment (sens fort).

Elle me dédaignait[1] ; un autre l'abandonne.
L'ingrate, qui mettait son cœur à si haut prix,
400 Apprend donc à son tour à souffrir[2] des mépris ?
Ah dieux !

CLÉONE

Ah ! dissipez ces indignes alarmes :
Il a trop bien senti le pouvoir de vos charmes.
Vous croyez qu'un amant vienne vous insulter ?
Il vous rapporte un cœur qu'il n'a pu vous ôter.
405 Mais vous ne dites point ce que vous mande[3] un père ?

HERMIONE

Dans ses retardements[4] si Pyrrhus persévère,
À la mort du Troyen s'il ne veut consentir,
Mon père avec les Grecs m'ordonne de partir.

CLÉONE

Eh bien, Madame, eh bien ! écoutez donc Oreste.
410 Pyrrhus a commencé, faites au moins le reste.
Pour bien faire il faudrait que vous le prévinssiez[5].
Ne m'avez-vous pas dit que vous le haïssiez ?

HERMIONE

Si je le hais, Cléone ! Il y va de ma gloire,
Après tant de bontés dont il perd la mémoire ;

1. **Dédaignait** : méprisait.
2. **Souffrir** : supporter.
3. **Mande** : fait savoir. Hermione a reçu un message de Ménélas, transmis par Oreste. Ce dernier veut obtenir d'elle une entrevue.
4. **Retardements** : hésitations.
5. **Que vous le prévinssiez** : que vous agissiez avant lui (forme d'imparfait du subjonctif du verbe *prévenir*).

415 Lui qui me fut si cher, et qui m'a pu trahir,
Ah ! je l'ai trop aimé pour ne le point haïr !

CLÉONE

Fuyez-le donc, Madame ; et puisqu'on vous adore...

HERMIONE

Ah ! laisse à ma fureur le temps de croître encore.
Contre mon ennemi laisse-moi m'assurer[1].
420 Cléone, avec horreur je m'en veux séparer.
Il n'y travaillera que trop bien, l'infidèle !

CLÉONE

Quoi ? vous en attendez quelque injure nouvelle ?
Aimer une captive, et l'aimer à vos yeux,
Tout cela n'a donc pu vous le rendre odieux ?
425 Après ce qu'il a fait, que saurait-il donc faire ?
Il vous aurait déplu, s'il pouvait vous déplaire.

HERMIONE

Pourquoi veux-tu, cruelle, irriter mes ennuis[2] ?
Je crains de me connaître en l'état où je suis.
De tout ce que tu vois tâche de ne rien croire ;
430 Crois que je n'aime plus, vante-moi ma victoire ;
Crois que dans son dépit mon cœur est endurci,
Hélas ! et, s'il se peut, fais-le moi croire aussi.
Tu veux que je le fuie ? Eh bien ! rien ne m'arrête :
Allons ; n'envions plus son indigne conquête :
435 Que sur lui sa captive étende son pouvoir.
Fuyons... Mais si l'ingrat rentrait dans son devoir !

---

1. M'assurer : prendre de l'assurance.
2. Irriter mes ennuis : aggraver mes souffrances.

Si la foi[1] dans son cœur retrouvait quelque place;
S'il venait à mes pieds me demander sa grâce;
Si sous mes lois, Amour, tu pouvais l'engager!
440 S'il voulait... Mais l'ingrat ne veut que m'outrager.
Demeurons toutefois pour troubler leur fortune,
Prenons quelque plaisir à leur être importune;
Ou, le forçant de rompre un nœud[2] si solennel,
Aux yeux de tous les Grecs rendons-le criminel.
445 J'ai déjà sur le fils attiré leur colère;
Je veux qu'on vienne encor lui demander la mère.
Rendons-lui les tourments qu'elle m'a fait souffrir:
Qu'elle le perde[3], ou bien qu'il la fasse périr.

Cléone

Vous pensez que des yeux toujours ouverts aux larmes
450 Se plaisent à troubler le pouvoir de vos charmes,
Et qu'un cœur accablé de tant de déplaisirs
De son persécuteur ait brigué les soupirs?
Voyez si sa douleur en paraît soulagée.
Pourquoi donc les chagrins où son âme est plongée?
455 Contre un amant qui plaît pourquoi tant de fierté[4]?

Hermione

Hélas! pour mon malheur, je l'ai trop écouté.
Je n'ai point du silence affecté le mystère:
Je croyais sans péril pouvoir être sincère,
Et sans armer mes yeux d'un moment de rigueur,

1. **Foi**: fidélité.
2. **Nœud**: promesse de mariage.
3. **Qu'elle le perde**: qu'Andromaque précipite Pyrrhus à sa perte.
4. **Fierté**: cruauté.

460 Je n'ai pour lui parler consulté que mon cœur.
Et qui ne se serait comme moi déclarée
Sur la foi d'une amour[1] si saintement jurée ?
Me voyait-il de l'œil qu'il me voit aujourd'hui ?
Tu t'en souviens encor[2], tout conspirait pour lui[3] :
465 Ma famille vengée, et les Grecs dans la joie,
Nos vaisseaux tout chargés des dépouilles de Troie,
Les exploits de son père effacés par les siens,
Ses feux que je croyais plus ardents que les miens,
Mon cœur, toi-même enfin de sa gloire éblouie,
470 Avant qu'il me trahît, vous m'avez tous trahie.
Mais c'en est trop, Cléone, et quel que soit Pyrrhus,
Hermione est sensible, Oreste a des vertus ;
Il sait aimer du moins, et même sans qu'on l'aime,
Et peut-être il saura se faire aimer lui-même.
475 Allons : qu'il vienne enfin.

CLÉONE

Madame, le voici.

HERMIONE

Ah ! je ne croyais pas qu'il fût si près d'ici.

1. À l'âge classique, le terme peut être féminin, même au singulier.
2. **Encor** : encore (licence poétique).
3. **Tout conspirait pour lui** : tout tournait en sa faveur.

Scène 2

Hermione, Oreste, Cléone

Hermione

Le croirai-je, Seigneur, qu'un reste de tendresse
Vous fasse ici chercher une triste princesse ?
Ou ne dois-je imputer[1] qu'à votre seul devoir
480 L'heureux empressement qui vous porte à me voir ?

Oreste

Tel est de mon amour l'aveuglement funeste.
Vous le savez, Madame, et le destin d'Oreste
Est de venir sans cesse adorer vos attraits,
Et de jurer toujours qu'il n'y viendra jamais.
485 Je sais que vos regards vont rouvrir mes blessures,
Que tous mes pas vers vous sont autant de parjures[2] :
Je le sais, j'en rougis ; mais j'atteste les dieux[3],
Témoins de la fureur de mes derniers adieux,
Que j'ai couru partout où ma perte[4] certaine
490 Dégageait[5] mes serments et finissait ma peine.
J'ai mendié la mort chez des peuples cruels
Qui n'apaisaient leurs dieux que du sang des mortels :
Ils m'ont fermé leur temple ; et ces peuples barbares
De mon sang prodigué sont devenus avares[6].
495 Enfin je viens à vous, et je me vois réduit

1. Imputer : mettre sur le compte de.
2. Parjures : trahisons. Oreste avait juré de la fuir.
3. J'atteste les dieux : je prends les dieux à témoin.
4. Perte : mort.
5. Dégageait : me libérait de.
6. Oreste a échappé aux Scythes, réputés cruels, en particulier envers les étrangers, grâce à sa sœur Iphigénie.

À chercher dans vos yeux une mort qui me fuit,
Mon désespoir n'attend que leur indifférence :
Ils n'ont qu'à m'interdire un reste d'espérance.
Ils n'ont, pour avancer cette mort où je cours,
500 Qu'à me dire une fois[1] ce qu'ils m'ont dit toujours.
Voilà depuis un an le seul soin qui m'anime.
Madame, c'est à vous de prendre une victime
Que les Scythes[2] auraient dérobée à vos coups,
Si j'en avais trouvé d'aussi cruels que vous.

HERMIONE

505 Quittez, Seigneur, quittez ce funeste langage.
À des soins plus pressants la Grèce vous engage.
Que[3] parlez-vous du Scythe et de mes cruautés ?
Songez à tous ces rois que vous représentez.
Faut-il que d'un transport[4] leur vengeance dépende ?
510 Est-ce le sang d'Oreste enfin qu'on vous demande ?
Dégagez-vous des soins dont vous êtes chargé[5].

ORESTE

Les refus de Pyrrhus m'ont assez dégagé,
Madame : il me renvoie ; et quelque autre puissance
Lui fait du fils d'Hector embrasser la défense.

HERMIONE

515 L'infidèle !

1. **Une fois** : une fois de plus.
2. **Scythes** : peuple de l'actuelle Ukraine.
3. **Que** : pourquoi.
4. **Transport** : violente émotion.
5. **Dégagez-vous des soins dont vous êtes chargé** : accomplissez votre mission.

ORESTE

Ainsi donc, tout prêt à le quitter,
Sur mon propre destin je viens vous consulter.
Déjà même je crois entendre la réponse
Qu'en secret contre moi votre haine prononce.

HERMIONE

Hé quoi ? toujours injuste en vos tristes[1] discours,
520 De mon inimitié[2] vous plaindrez-vous toujours ?
Quelle est cette rigueur tant de fois alléguée ?
J'ai passé dans l'Épire où j'étais reléguée :
Mon père l'ordonnait ; mais qui sait si depuis
Je n'ai point en secret partagé vos ennuis[3] ?
525 Pensez-vous avoir seul éprouvé des alarmes ?
Que l'Épire jamais n'ait vu couler mes larmes ?
Enfin, qui vous a dit que malgré mon devoir
Je n'ai pas quelquefois souhaité de vous voir ?

ORESTE

Souhaité de me voir ! Ah ! divine Princesse...
530 Mais, de grâce, est-ce à moi que ce discours s'adresse ?
Ouvrez vos yeux : songez qu'Oreste est devant vous,
Oreste, si longtemps l'objet de leur courroux[4].

HERMIONE

Oui, c'est vous dont l'amour, naissant avec leurs charmes,
Leur apprit le premier le pouvoir de leurs armes ;

1. **Tristes** : affligés (sens fort).
2. **Inimitié** : haine.
3. **Ennuis** : souffrances, tourments (sens fort).
4. **Courroux** : colère.

535 Vous que mille vertus me forçaient d'estimer;
Vous que j'ai plaint, enfin que je voudrais aimer.

ORESTE

Je vous entends[1]. Tel est mon partage funeste:
Le cœur est pour Pyrrhus, et les vœux pour Oreste.

HERMIONE

Ah! ne souhaitez pas le destin de Pyrrhus:
540 Je vous haïrais trop.

ORESTE

Vous m'en aimeriez plus.
Ah! que vous me verriez d'un regard bien contraire!
Vous me voulez aimer, et je ne puis vous plaire;
Et l'amour seul alors se faisant obéir,
Vous m'aimeriez, Madame, en me voulant haïr.
545 Ô dieux! tant de respects, une amitié si tendre...
Que de raisons pour moi[2], si vous pouviez m'entendre!
Vous seule pour Pyrrhus disputez[3] aujourd'hui,
Peut-être malgré vous, sans doute[4] malgré lui:
Car enfin il vous hait; son âme ailleurs éprise
550 N'a plus...

HERMIONE

Qui vous l'a dit, Seigneur, qu'il me méprise?
Ses regards, ses discours vous l'ont-ils donc appris?
Jugez-vous que ma vue inspire des mépris,

---

1. Entends: comprends.
2. Que de raisons pour moi: que d'arguments en ma faveur.
3. Disputez: trouvez des arguments.
4. Sans doute: sans aucun doute.

Qu'elle allume en un cœur des feux[1] si peu durables ?
Peut-être d'autres yeux me sont plus favorables.

ORESTE

555 Poursuivez : il est beau de m'insulter ainsi.
Cruelle, c'est donc moi qui vous méprise ici ?
Vos yeux n'ont pas assez éprouvé[2] ma constance ?
Je suis donc un témoin de leur peu de puissance ?
Je les ai méprisés ? Ah ! qu'ils voudraient bien voir
560 Mon rival comme moi mépriser leur pouvoir !

HERMIONE

Que m'importe, Seigneur, sa haine ou sa tendresse ?
Allez contre un rebelle armer toute la Grèce ;
Rapportez-lui le prix de sa rébellion ;
Qu'on fasse de l'Épire un second Ilion[3].
565 Allez. Après cela direz-vous que je l'aime ?

ORESTE

Madame, faites plus, et venez-y vous-même.
Voulez-vous demeurer pour otage en ces lieux,
Venez dans tous les cœurs faire parler vos yeux.
Faisons de notre haine une commune attaque.

HERMIONE

570 Mais, Seigneur, cependant[4], s'il épouse Andromaque ?

ORESTE

Hé, Madame !

---

1. Feux : sentiments amoureux.
2. Éprouvé : mis à l'épreuve.
3. Ilion : autre nom de Troie.
4. Cependant : pendant ce temps.

HERMIONE

Songez quelle honte pour nous,
Si d'une Phrygienne il devenait l'époux !

ORESTE

Et vous le haïssez ? Avouez-le, Madame,
L'amour n'est pas un feu[1] qu'on renferme en une âme ;
575 Tout nous trahit, la voix, le silence, les yeux,
Et les feux mal couverts n'en éclatent que mieux.

HERMIONE

Seigneur, je le vois bien, votre âme prévenue[2]
Répand sur mes discours le venin qui la tue,
Toujours dans mes raisons cherche quelque détour,
580 Et croit qu'en moi la haine est un effort d'amour.
Il faut donc m'expliquer ; vous agirez ensuite.
Vous savez qu'en ces lieux mon devoir m'a conduite ;
Mon devoir m'y retient ; et je n'en puis partir
Que[3] mon père ou Pyrrhus ne m'en fasse sortir.
585 De la part de mon père allez lui faire entendre
Que l'ennemi des Grecs ne peut être son gendre.
Du Troyen ou de moi faites-le décider :
Qu'il songe qui des deux il veut rendre, ou garder ;
Enfin qu'il me renvoie, ou bien qu'il vous le livre.
590 Adieu. S'il y consent, je suis prête à vous suivre.

1. **Feu** : sentiment amoureux.
2. **Prévenue** : méfiante, pleine de prévention.
3. **Que** : sans que, avant que.

Scène 3

ORESTE, *seul.*

Oui, oui, vous me suivrez, n'en doutez nullement ;
Je vous réponds déjà de son consentement.
Je ne crains pas enfin que Pyrrhus la retienne :
Il n'a devant les yeux que sa chère Troyenne ;
595 Tout autre objet le blesse[1] ; et peut-être aujourd'hui
Il n'attend qu'un prétexte à l'éloigner de lui.
Nous n'avons qu'à parler : c'en est fait. Quelle joie
D'enlever à l'Épire une si belle proie !
Sauve tout ce qui reste, et de Troie, et d'Hector,
600 Garde son fils, sa veuve, et mille autres encor,
Épire : c'est assez qu'Hermione rendue
Perde à jamais tes bords et ton prince de vue.
Mais un heureux destin le conduit en ces lieux.
Parlons. À tant d'attraits, Amour, ferme ses yeux !

Scène 4

PYRRHUS, ORESTE, PHŒNIX

PYRRHUS

605 Je vous cherchais, Seigneur. Un peu de violence
M'a fait de vos raisons combattre la puissance,
Je l'avoue ; et depuis que je vous ai quitté,
J'en ai senti la force et connu l'équité.
J'ai songé comme vous qu'à la Grèce, à mon père,

1. **Tout autre objet le blesse** : il ne supporte pas de voir une autre femme.

610 À moi-même, en un mot, je devenais contraire,
Que je relevais Troie, et rendais imparfait
Tout ce qu'a fait Achille, et tout ce que j'ai fait.
Je ne condamne plus un courroux[1] légitime,
Et l'on vous va, Seigneur, livrer votre victime.

ORESTE

615 Seigneur, par ce conseil prudent et rigoureux,
C'est acheter la paix du sang d'un malheureux.

PYRRHUS

Oui ; mais je veux, Seigneur, l'assurer davantage :
D'une éternelle paix Hermione est le gage[2] ;
Je l'épouse. Il semblait qu'un spectacle si doux
620 N'attendît en ces lieux qu'un témoin tel que vous :
Vous y représentez tous les Grecs et son père,
Puisqu'en vous Ménélas voit revivre son frère[3].
Voyez-la donc. Allez. Dites-lui que demain
J'attends, avec la paix, son cœur de votre main.

ORESTE

625 Ah dieux !

---

1. **Courroux** : colère.
2. **Gage** : garantie.
3. **Son frère** : Agamemnon, assassiné par Égisthe et Clytemnestre.

Scène 5

PYRRHUS, PHŒNIX

PYRRHUS

Eh bien, Phœnix, l'amour est-il le maître ?
Tes yeux refusent-ils encor de me connaître ?

PHŒNIX

Ah ! je vous reconnais, et ce juste courroux[1],
Ainsi qu'à tous les Grecs, Seigneur, vous rend à vous.
Ce n'est plus le jouet d'une flamme servile[2] :
630 C'est Pyrrhus. C'est le fils et le rival d'Achille,
Que la gloire à la fin ramène sous ses lois,
Qui triomphe de Troie une seconde fois.

PYRRHUS

Dis plutôt qu'aujourd'hui commence ma victoire.
D'aujourd'hui seulement je jouis de ma gloire,
635 Et mon cœur, aussi fier que tu l'as vu soumis,
Croit avoir en l'amour vaincu mille ennemis.
Considère, Phœnix, les troubles que j'évite,
Quelle foule de maux l'amour traîne à sa suite,
Que d'amis, de devoirs, j'allais sacrifier ;
640 Quels périls... Un regard m'eût tout fait oublier.
Tous les Grecs conjurés fondaient sur un rebelle ;
Je trouvais du plaisir à me perdre pour elle.

---

1. Courroux : colère.

2. Servile : digne d'un esclave.

PHŒNIX

Oui, je bénis, Seigneur, l'heureuse cruauté
Qui vous rend...

PYRRHUS

Tu l'as vu, comme elle m'a traité.
645 Je pensais, en voyant sa tendresse alarmée,
Que son fils me la dût renvoyer désarmée.
J'allais voir le succès de ses embrassements :
Je n'ai trouvé que pleurs mêlés d'emportements.
Sa misère l'aigrit ; et toujours plus farouche,
650 Cent fois le nom d'Hector est sorti de sa bouche.
Vainement à son fils j'assurais mon secours :
C'est Hector, disait-elle, en l'embrassant toujours ;
Voilà ses yeux, sa bouche, et déjà son audace ;
C'est lui-même ; c'est toi, cher époux, que j'embrasse.
655 Et quelle est sa pensée ? attend-elle en ce jour
Que je lui laisse un fils pour nourrir son amour[1] ?

PHŒNIX

Sans doute, c'est le prix que vous gardait l'ingrate.
Mais laissez-la, Seigneur.

PYRRHUS

Je vois ce qui la flatte :
Sa beauté la rassure, et malgré mon courroux[2],
660 L'orgueilleuse m'attend encore à ses genoux.
Je la verrais aux miens, Phœnix, d'un œil tranquille.

1. **Son amour** : son amour pour Hector.
2. **Courroux** : colère.

Elle est veuve d'Hector, et je suis fils d'Achille :
Trop de haine sépare Andromaque et Pyrrhus.

PHŒNIX

Commencez donc, Seigneur, à ne m'en parler plus.
665 Allez voir Hermione, et content[1] de lui plaire,
Oubliez à ses pieds jusqu'à votre colère.
Vous-même à cet hymen[2] venez la disposer.
Est-ce sur un rival qu'il s'en faut reposer ?
Il ne l'aime que trop.

PYRRHUS

Crois-tu, si je l'épouse,
670 Qu'Andromaque en son cœur n'en sera pas jalouse ?

PHŒNIX

Quoi ! toujours Andromaque occupe votre esprit ?
Que vous importe, ô dieux ! sa joie ou son dépit ?
Quel charme[3], malgré vous, vers elle vous attire ?

PYRRHUS

Non, je n'ai pas bien dit tout ce qu'il lui faut dire :
675 Ma colère à ses yeux n'a paru qu'à demi ;
Elle ignore à quel point je suis son ennemi.
Retournons-y. Je veux la braver à sa vue[4],
Et donner à ma haine une libre étendue.
Viens voir tous ses attraits, Phœnix, humiliés.
680 Allons.

1. **Content** : vous contentant, satisfait.
2. **Hymen** : mariage.
3. **Charme** : pouvoir magique de séduction, sortilège.
4. **À sa vue** : en face.

PHŒNIX

Allez, Seigneur, vous jeter à ses pieds ;
Allez, en lui jurant que votre âme l'adore,
À de nouveaux mépris l'encourager encore.

PYRRHUS

Je le vois bien, tu crois que prêt à l'excuser
Mon cœur court après elle et cherche à s'apaiser.

PHŒNIX

685 Vous aimez, c'est assez.

PYRRHUS

Moi l'aimer ? une ingrate
Qui me hait d'autant plus que mon amour la flatte ?
Sans parents, sans amis, sans espoir que sur moi[1] ;
Je puis perdre son fils, peut-être je le doi[2] ;
Étrangère... que dis-je ? esclave dans l'Épire,
690 Je lui donne son fils, mon âme, mon empire,
Et je ne puis gagner dans son perfide[3] cœur
D'autre rang que celui de son persécuteur ?
Non, non, je l'ai juré, ma vengeance est certaine :
Il faut bien une fois justifier sa haine.
695 J'abandonne son fils. Que de pleurs vont couler !
De quel nom sa douleur me va-t-elle appeler !
Quel spectacle pour elle aujourd'hui se dispose !
Elle en mourra, Phœnix, et j'en serai la cause.
C'est lui mettre moi-même un poignard dans le sein.

---

1. Sans espoir que sur moi : ne pouvant compter que sur moi.

2. Doi : dois (licence poétique). Cette suppression du *-s* à la première personne du singulier des verbes *croire*, *voir*, *devoir*... est assez habituelle dans la poésie classique.

3. Perfide : traître.

PHŒNIX

700 Et pourquoi donc en faire éclater le dessein[1] ?
Que[2] ne consultiez-vous tantôt votre faiblesse ?

PYRRHUS

Je t'entends[3]. Mais excuse un reste de tendresse.
Crains-tu pour ma colère un si faible combat ?
D'un amour qui s'éteint c'est le dernier éclat.
705 Allons. À tes conseils, Phœnix, je m'abandonne.
Faut-il livrer son fils ? faut-il voir Hermione ?

PHŒNIX

Oui, voyez-la, Seigneur et par des vœux soumis,
Protestez[4]-lui...

PYRRHUS

Faisons tout ce que j'ai promis.

1. **Dessein** : projet, intention.
2. **Que** : pourquoi.
3. **Entends** : comprends.
4. **Protestez** : promettez.

Acte III

Scène première

ORESTE, PYLADE

PYLADE

Modérez donc, Seigneur, cette fureur extrême.
710 Je ne vous connais plus ; vous n'êtes plus vous-même.
Souffrez...

ORESTE

Non, tes conseils ne sont plus de saison,
Pylade ; je suis las d'écouter la raison.
C'est traîner trop longtemps ma vie et mon supplice.
Il faut que je l'[1]enlève, ou bien que je périsse.
715 Le dessein[2] en est pris, je le veux achever.
Oui, je le veux

PYLADE

Eh bien ! il la faut enlever.
J'y consens. Mais songez cependant où vous êtes.
Que croira-t-on de vous, à voir ce que vous faites ?
Dissimulez : calmez ce transport inquiet[3] ;

---

1. Le pronom personnel *l'* renvoie à Hermione.
2. Dessein : projet, intention.
3. Transport inquiet : émotion qui empêche de trouver le repos.

720 Commandez à vos yeux de garder le secret.
Ces gardes, cette cour, l'air qui vous environne,
Tout dépend de Pyrrhus, et surtout Hermione.
À ses regards surtout cachez votre courroux.
Ô dieux ! en cet état pourquoi la cherchiez-vous ?

ORESTE

725 Que sais-je ? De moi-même étais-je alors le maître ?
La fureur m'emportait, et je venais peut-être
Menacer à la fois l'ingrate et son amant[1].

PYLADE

Et quel était le fruit de cet emportement ?

ORESTE

Et quelle âme, dis-moi, ne serait éperdue
730 Du coup dont ma raison vient d'être confondue[2] ?
Il épouse, dit-il, Hermione demain ;
Il veut, pour m'honorer, la tenir de ma main.
Ah ! plutôt cette main dans le sang du barbare...

PYLADE

Vous l'accusez, Seigneur, de ce destin bizarre[3] ;
735 Cependant, tourmenté de ses propres desseins[4],
Il est peut-être à plaindre autant que je vous plains.

ORESTE

Non, non, je le connais, mon désespoir le flatte ;
Sans moi, sans mon amour, il dédaignait[5] l'ingrate ;

---

1. **Amant** : celui qui l'aime.
2. **Confondue** : jetée dans la confusion.
3. **Bizarre** : capricieux.
4. **Desseins** : projets, intentions.
5. **Dédaignait** : méprisait.

Ses charmes jusque-là n'avaient pu le toucher :
740 Le cruel ne la prend que pour me l'arracher.
Ah dieux ! c'en était fait : Hermione gagnée
Pour jamais de sa vue allait être éloignée,
Son cœur, entre l'amour et le dépit confus[1],
Pour se donner à moi n'attendait qu'un refus,
745 Ses yeux s'ouvraient, Pylade, elle écoutait Oreste,
Lui parlait, le plaignait. Un mot eût fait le reste.

PYLADE

Vous le croyez.

ORESTE

Hé quoi ? ce courroux[2] enflammé
Contre un ingrat...

PYLADE

Jamais il ne fut plus aimé.
Pensez-vous, quand[3] Pyrrhus vous l'aurait accordée,
750 Qu'un prétexte tout prêt ne l'eût pas retardée ?
M'en croirez-vous ? Lassé de ses trompeurs attraits,
Au lieu de l'enlever, fuyez-la pour jamais.
Quoi ? votre amour se veut charger d'une furie[4]
Qui vous détestera, qui toute votre vie,
755 Regrettant un hymen[5] tout prêt à s'achever[6],
Voudra...

1. **Entre l'amour et le dépit confus** : hésitant entre l'amour et le dépit.
2. **Courroux** : colère.
3. **Quand** : quand bien même.
4. **Furie** : déesse de la vengeance, femme cruelle.
5. **Hymen** : mariage.
6. **S'achever** : être célébré.

ORESTE

C'est pour cela que je veux l'enlever.
Tout lui rirait, Pylade ; et moi, pour mon partage,
Je n'emporterais donc qu'une inutile rage ?
J'irais loin d'elle encor tâcher de l'oublier ?
760 Non, non, à mes tourments, je veux l'associer.
C'est trop gémir tout seul. Je suis las qu'on me plaigne.
Je prétends qu'à mon tour l'inhumaine me craigne,
Et que ses yeux cruels, à pleurer condamnés,
Me rendent tous les noms que je leur ai donnés.

PYLADE

765 Voilà donc le succès qu'aura votre ambassade :
Oreste ravisseur !

ORESTE

Et qu'importe, Pylade ?
Quand nos États vengés jouiront de mes soins,
L'ingrate de mes pleurs jouira-t-elle moins ?
Et que me servira que la Grèce m'admire,
770 Tandis que je serai la fable[1] de l'Épire ?
Que veux-tu ? Mais s'il faut ne te rien déguiser,
Mon innocence enfin commence à me peser.
Je ne sais de tout temps quelle injuste puissance
Laisse le crime en paix, et poursuit l'innocence.
775 De quelque part sur moi que je tourne les yeux,
Je ne vois que malheurs qui condamnent les dieux.
Méritons leur courroux[2], justifions leur haine,
Et que le fruit du crime en précède la peine.

---

1. Fable : objet de moqueries.
2. Courroux : colère.

Mais toi, par quelle erreur veux-tu toujours sur toi
780 Détourner un courroux qui ne cherche que moi ?
Assez et trop longtemps mon amitié t'accable :
Évite un malheureux, abandonne un coupable.
Cher Pylade, crois-moi, ta pitié te séduit[1].
Laisse-moi des périls dont j'attends tout le fruit.
785 Porte aux Grecs cet enfant que Pyrrhus m'abandonne.
Va-t'en.

PYLADE

Allons, Seigneur, enlevons Hermione.
Au travers des périls un grand cœur se fait jour.
Que ne peut l'amitié conduite par l'amour ?
Allons de tous vos Grecs encourager le zèle.
790 Nos vaisseaux sont tout prêts, et le vent nous appelle.
Je sais de ce palais tous les détours obscurs ;
Vous voyez que la mer en vient battre les murs,
Et cette nuit sans peine une secrète voie
Jusqu'en votre vaisseau conduira votre proie.

ORESTE

795 J'abuse, cher ami, de ton trop d'amitié.
Mais pardonne à des maux dont toi seul as pitié ;
Excuse un malheureux qui perd tout ce qu'il aime,
Que tout le monde hait, et qui se hait lui-même.
Que ne puis-je à mon tour dans un sort plus heureux...

PYLADE

800 Dissimulez, Seigneur, c'est tout ce que je veux.

1. **Te séduit** : t'égare, te détourne de ton devoir.

Gardez[1] qu'avant le coup votre dessein[2] n'éclate :
Oubliez jusque-là qu'Hermione est ingrate ;
Oubliez votre amour. Elle vient, je la voi[3].

ORESTE

Va-t'en. Réponds-moi d'elle, et je réponds de moi.

Scène 2

HERMIONE, ORESTE, CLÉONE

ORESTE

805 Eh bien ! mes soins vous ont rendu votre conquête.
J'ai vu Pyrrhus, Madame, et votre hymen s'apprête[4].

HERMIONE

On le dit ; et de plus on vient de m'assurer
Que vous ne me cherchiez que pour m'y préparer.

ORESTE

Et votre âme à ses vœux ne sera pas rebelle ?

HERMIONE

810 Qui l'eût cru que Pyrrhus ne fût pas infidèle ?
Que sa flamme[5] attendrait si tard pour éclater ?
Qu'il reviendrait à moi, quand je l'allais quitter ?
Je veux croire avec vous qu'il redoute la Grèce,

---

1. **Gardez** : prenez garde, évitez.
2. **Dessein** : projet, intention.
3. **Voi** : vois (voir note 2, p. 57).
4. **Votre hymen s'apprête** : votre mariage se prépare.
5. **Flamme** : amour.

Qu'il suit son intérêt plutôt que sa tendresse,
815 Que mes yeux sur votre âme étaient plus absolus[1].

ORESTE

Non, Madame, il vous aime, et je n'en doute plus.
Vos yeux ne font-ils pas tout ce qu'ils veulent faire ?
Et vous ne vouliez pas sans doute lui déplaire.

HERMIONE

Mais que puis-je, Seigneur ? On a promis ma foi.
820 Lui ravirai-je un bien qu'il ne tient pas de moi ?
L'amour ne règle pas le sort d'une princesse :
La gloire d'obéir est tout ce qu'on nous laisse.
Cependant je partais, et vous avez pu voir
Combien je relâchais pour vous de mon devoir.

ORESTE

825 Ah ! que vous saviez bien, cruelle... Mais, Madame,
Chacun peut à son choix disposer de son âme.
La vôtre était à vous. J'espérais ; mais enfin
Vous l'avez pu donner sans me faire un larcin[2].
Je vous accuse aussi bien moins que la fortune.
830 Et pourquoi vous lasser d'une plainte importune ?
Tel est votre devoir, je l'avoue ; et le mien
Est de vous épargner un si triste entretien.

---

1. Que mes yeux sur votre âme étaient plus absolus : que mes yeux avaient sur votre âme un pouvoir plus puissant.

2. Larcin : vol.

Scène 3

HERMIONE, CLÉONE

HERMIONE

Attendais-tu, Cléone, un courroux[1] si modeste[2] ?

CLÉONE

La douleur qui se tait n'en est que plus funeste.
835 Je le plains d'autant plus qu'auteur de son ennui[3],
Le coup qui l'a perdu n'est parti que de lui.
Comptez depuis quel temps votre hymen[4] se prépare ;
Il a parlé, Madame, et Pyrrhus se déclare.

HERMIONE

Tu crois que Pyrrhus craint ? Et que craint-il encor[5] ?
840 Des peuples qui dix ans[6] ont fui devant Hector,
Qui cent fois effrayés de l'absence d'Achille,
Dans leurs vaisseaux brûlants[7] ont cherché leur asile,
Et qu'on verrait encor, sans l'appui de son fils,
Redemander Hélène aux Troyens impunis ?
845 Non, Cléone, il n'est point ennemi de lui-même,
Il veut tout ce qu'il fait, et s'il m'épouse, il m'aime.
Mais qu'Oreste à son gré[8] m'impute ses douleurs :
N'avons-nous d'entretien[9] que celui de ses pleurs ?

---

1. **Courroux** : colère.
2. **Modeste** : modéré.
3. **Ennui** : souffrance, tourment.
4. **Hymen** : mariage.
5. **Encor** : encore (licence poétique).
6. Le siège de la ville de Troie a duré dix ans.
7. Les vaisseaux grecs avaient été incendiés par les Troyens.
8. **À son gré** : s'il le souhaite.
9. **Entretien** : conversation.

Pyrrhus revient à nous. Eh bien ! chère Cléone,
850 Conçois-tu les transports[1] de l'heureuse Hermione ?
Sais-tu quel est Pyrrhus ? T'es-tu fait raconter
Le nombre des exploits... mais qui les peut compter ?
Intrépide, et partout suivi de la victoire,
Charmant, fidèle, enfin, rien ne manque à sa gloire.
855 Songe...

CLÉONE

Dissimulez. Votre rivale en pleurs
Vient à vos pieds, sans doute, apporter ses douleurs.

HERMIONE

Dieux ! ne puis-je à ma joie abandonner mon âme ?
Sortons : que lui dirais-je ?

Scène 4

ANDROMAQUE, HERMIONE, CLÉONE, CÉPHISE

ANDROMAQUE

Où fuyez-vous, Madame ?
N'est-ce pas à vos yeux un spectacle assez doux
860 Que la veuve d'Hector pleurante à vos genoux ?
Je ne viens point ici, par de jalouses larmes,
Vous envier un cœur qui se rend à vos charmes.
Par une main cruelle, hélas ! j'ai vu percer
Le seul où mes regards prétendaient s'adresser.
865 Ma flamme par Hector fut jadis allumée ;

1. **Transports** : émotions.

Avec lui dans la tombe elle s'est enfermée.
Mais il me reste un fils. Vous saurez quelque jour,
Madame, pour un fils jusqu'où va notre amour;
Mais vous ne saurez pas, du moins je le souhaite,
870 En quel trouble mortel son intérêt[1] nous jette,
Lorsque de tant de biens qui pouvaient nous flatter,
C'est le seul qui nous reste, et qu'on veut nous l'ôter.
Hélas! lorsque, lassés de dix ans de misère,
Les Troyens en courroux[2] menaçaient votre mère,
875 J'ai su de mon Hector lui procurer l'appui[3].
Vous pouvez sur Pyrrhus ce que j'ai pu sur lui.
Que craint-on d'un enfant qui survit à sa perte[4]?
Laissez-moi le cacher en quelque île déserte;
Sur les soins de sa mère on peut s'en assurer,
880 Et mon fils avec moi n'apprendra qu'à pleurer.

HERMIONE

Je conçois vos douleurs. Mais un devoir austère,
Quand mon père a parlé, m'ordonne de me taire.
C'est lui qui de Pyrrhus fait agir le courroux.
S'il faut fléchir[5] Pyrrhus, qui le peut mieux que vous?
885 Vos yeux assez longtemps ont régné sur son âme;
Faites-le prononcer[6]: j'y souscrirai, Madame.

---

1. **Son intérêt**: l'intérêt que nous lui portons.
2. **Courroux**: colère.
3. Hector a protégé Hélène de la colère des Troyens, sur la demande d'Andromaque.
4. **À sa perte**: à la perte d'Hector, son père.
5. **Fléchir**: émouvoir, faire changer d'avis.
6. **Prononcer**: se prononcer, prendre une décision.

Scène 5

ANDROMAQUE, CÉPHISE

ANDROMAQUE

Quel mépris la cruelle attache à ses refus !

CÉPHISE

Je croirais ses conseils, et je verrais Pyrrhus.
Un regard confondrait[1] Hermione et la Grèce...
890 Mais lui-même il vous cherche.

Scène 6

PYRRHUS, ANDROMAQUE, PHŒNIX, CÉPHISE

PYRRHUS, *à Phœnix.*

Où donc est la princesse[2] ?
Ne m'avais-tu pas dit qu'elle était en ces lieux ?

PHŒNIX

Je le croyais.

ANDROMAQUE, *à Céphise.*

Tu vois le pouvoir de mes yeux !

PYRRHUS

Que dit-elle, Phœnix ?

ANDROMAQUE

Hélas ! tout m'abandonne.

1. **Confondrait** : jetterait dans la confusion, accablerait.
2. **La princesse** : renvoie à Hermione.

PHŒNIX

Allons, Seigneur, marchons sur les pas d'Hermione.

CÉPHISE

895 Qu'attendez-vous ? Rompez ce silence obstiné.

ANDROMAQUE

Il a promis mon fils.

CÉPHISE

Il ne l'a pas donné.

ANDROMAQUE

Non, non, j'ai beau pleurer, sa mort est résolue[1].

PYRRHUS

Daigne-t-elle sur nous tourner au moins la vue ?
Quel orgueil !

ANDROMAQUE

Je ne fais que l'irriter encor[2].

900 Sortons.

PYRRHUS

Allons aux Grecs livrer le fils d'Hector.

ANDROMAQUE

Ah ! Seigneur, arrêtez ! Que prétendez-vous faire ?
Si vous livrez le fils, livrez-leur donc la mère !
Vos serments m'ont tantôt[3] juré tant d'amitié[4] !
Dieux ! ne pourrai-je au moins toucher votre pitié ?
905 Sans espoir de pardon m'avez-vous condamnée ?

---

1. **Résolue** : décidée.
2. **Encor** : encore (licence poétique).
3. **Tantôt** : il y a peu de temps.
4. **Amitié** : amour.

PYRRHUS

Phœnix vous le dira, ma parole est donnée.

ANDROMAQUE

Vous qui braviez pour moi tant de périls divers !

PYRRHUS

J'étais aveugle alors ; mes yeux se sont ouverts.
Sa grâce à vos désirs pouvait être accordée ;
910 Mais vous ne l'avez pas seulement demandée :
C'en est fait.

ANDROMAQUE

Ah ! Seigneur ! vous entendiez[1] assez
Des soupirs qui craignaient de se voir repoussés.
Pardonnez à l'éclat d'une illustre fortune[2]
Ce reste de fierté, qui craint d'être importune.
915 Vous ne l'ignorez pas : Andromaque, sans vous,
N'aurait jamais d'un maître embrassé les genoux[3].

PYRRHUS

Non, vous me haïssez ; et dans le fond de l'âme
Vous craignez de devoir quelque chose à ma flamme.
Ce fils même, ce fils, l'objet de tant de soins,
920 Si je l'avais sauvé, vous l'en aimeriez moins.
La haine, le mépris, contre moi tout s'assemble ;
Vous me haïssez plus que tous les Grecs ensemble.
Jouissez à loisir d'un si noble courroux[4].
Allons, Phœnix.

1. **Entendiez** : compreniez.
2. **Fortune** : condition.
3. Embrasser les genoux est un geste de soumission et de supplication.
4. **Courroux** : colère.

Andromaque

Allons rejoindre mon époux.

Céphise

925 Madame...

Andromaque

Et que veux-tu que je lui dise encore ?
Auteur de tous mes maux, crois-tu qu'il les ignore ?
Seigneur, voyez l'état où vous me réduisez.
J'ai vu mon père mort et nos murs embrasés,
J'ai vu trancher les jours de ma famille entière,
930 Et mon époux sanglant traîné sur la poussière[1],
Son fils seul avec moi, réservé pour les fers[2].
Mais que ne peut un fils ? Je respire, je sers[3].
J'ai fait plus : je me suis quelquefois consolée
Qu'ici plutôt qu'ailleurs le sort m'eût exilée ;
935 Qu'heureux dans son malheur, le fils de tant de rois,
Puisqu'il devait servir, fût tombé sous vos lois.
J'ai cru que sa prison deviendrait son asile.
Jadis Priam soumis fut respecté d'Achille[4] :
J'attendais de son fils encor plus de bonté.
940 Pardonne, cher Hector, à ma crédulité.
Je n'ai pu soupçonner ton ennemi d'un crime ;
Malgré lui-même enfin je l'ai cru magnanime[5].
Ah ! s'il l'était assez pour nous laisser du moins

1. Achille a traîné le cadavre d'Hector dans la poussière.

2. **Réservé pour les fers** : promis à la captivité.

3. **Je sers** : je suis réduite à la servitude.

4. Priam était venu réclamer au vainqueur Achille le cadavre de son fils. Achille lui avait accordé cette faveur.

5. **Magnanime** : caractérisé par sa grandeur d'âme, généreux.

Au tombeau qu'à ta cendre ont élevé mes soins ;
945 Et que finissant là sa haine et nos misères,
Il ne séparât point des dépouilles si chères !

PYRRHUS

Va m'attendre, Phœnix.

Scène 7

PYRRHUS, ANDROMAQUE, CÉPHISE

PYRRHUS *continue.*

Madame, demeurez.
On peut vous rendre encor ce fils que vous pleurez.
Oui, je sens à regret qu'en excitant vos larmes
950 Je ne fais contre moi que vous donner des armes.
Je croyais apporter plus de haine en ces lieux.
Mais, Madame, du moins tournez vers moi les yeux :
Voyez si mes regards sont d'un juge sévère,
S'ils sont d'un ennemi qui cherche à vous déplaire.
955 Pourquoi me forcez-vous vous-même à vous trahir ?
Au nom de votre fils, cessons de nous haïr.
À le sauver enfin c'est moi qui vous convie.
Faut-il que mes soupirs vous demandent sa vie ?
Faut-il qu'en sa faveur j'embrasse vos genoux[1] ?
960 Pour la dernière fois, sauvez-le, sauvez-vous.
Je sais de quels serments je romps pour vous les chaînes,
Combien je vais sur moi faire éclater de haines.
Je renvoie Hermione, et je mets sur son front,
Au lieu de ma couronne, un éternel affront.

1. Voir note 3, p. 71.

965 Je vous conduis au temple où son hymen s'apprête[1],
Je vous ceins du bandeau[2] préparé pour sa tête.
Mais ce n'est plus, Madame, une offre à dédaigner[3] :
Je vous le dis, il faut ou périr ou régner.
Mon cœur, désespéré d'un an d'ingratitude,
970 Ne peut plus de son sort souffrir[4] l'incertitude.
C'est craindre, menacer et gémir trop longtemps.
Je meurs si je vous perds, mais je meurs si j'attends.
Songez-y : je vous laisse, et je viendrai vous prendre
Pour vous mener au temple où ce fils doit m'attendre.
975 Et là vous me verrez, soumis ou furieux,
Vous couronner, Madame, ou le perdre à vos yeux.

Scène 8

ANDROMAQUE, CÉPHISE

CÉPHISE

Je vous l'avais prédit, qu'en dépit de la Grèce,
De votre sort encor vous seriez la maîtresse.

ANDROMAQUE

Hélas ! de quel effet[5] tes discours sont suivis ?
980 Il ne me restait plus qu'à condamner mon fils.

1. **Son hymen s'apprête** : son mariage se prépare.
2. **Bandeau** : équivalent du diadème.
3. **Dédaigner** : mépriser.
4. **Souffrir** : supporter.
5. **Effet** : conséquence.

CÉPHISE

Madame, à votre époux, c'est être assez fidèle :
Trop de vertu pourrait vous rendre criminelle ;
Lui-même il porterait votre âme à la douceur.

ANDROMAQUE

Quoi ? je lui donnerais Pyrrhus pour successeur ?

CÉPHISE

985 Ainsi le veut son fils, que les Grecs vous ravissent.
Pensez-vous qu'après tout ses mânes[1] en rougissent ?
Qu'il méprisât, Madame, un roi victorieux
Qui vous fait remonter au rang de vos aïeux ;
Qui foule aux pieds pour vous vos vainqueurs en colère,
990 Qui ne se souvient plus qu'Achille était son père,
Qui dément[2] ses exploits et les rend superflus ?

ANDROMAQUE

Dois-je les oublier, s'il ne s'en souvient plus ?
Dois-je oublier Hector privé de funérailles,
Et traîné sans honneur autour de nos murailles ?
995 Dois-je oublier son père à mes pieds renversé,
Ensanglantant l'autel qu'il tenait embrassé[3] ?
Songe, songe, Céphise, à cette nuit cruelle
Qui fut pour tout un peuple une nuit éternelle ;
Figure-toi Pyrrhus les yeux étincelants,
1000 Entrant à la lueur de nos palais brûlants ;
Sur tous mes frères morts se faisant un passage,

1. **Mânes** : âmes des morts, dans la religion romaine.
2. **Dément** : renie.
3. Pyrrhus avait tué Priam alors que celui-ci demandait le secours des dieux.

Et de sang tout couvert échauffant[1] le carnage ;
Songe aux cris des vainqueurs, songe aux cris des mourants,
Dans la flamme étouffés, sous le fer expirants ;
1005 Peins-toi dans ces horreurs Andromaque éperdue :
Voilà comme[2] Pyrrhus vint s'offrir à ma vue,
Voilà par quels exploits il sut se couronner,
Enfin voilà l'époux que tu me veux donner.
Non, je ne serai point complice de ses crimes ;
1010 Qu'il nous prenne, s'il veut, pour dernières victimes.
Tous mes ressentiments lui seraient asservis.

CÉPHISE

Eh bien, allons donc voir expirer votre fils :
On n'attend plus que vous. Vous frémissez, Madame ?

ANDROMAQUE

Ah ! de quel souvenir viens-tu frapper mon âme !
1015 Quoi, Céphise, j'irai voir expirer encor
Ce fils, ma seule joie, et l'image d'Hector ?
Ce fils, que de sa flamme il me laissa pour gage ?
Hélas ! je m'en souviens, le jour que son courage
Lui fit chercher Achille, ou plutôt le trépas[3],
1020 Il demanda son fils, et le prit dans ses bras :
Chère épouse, dit-il en essuyant mes larmes,
J'ignore quel succès le sort garde à mes armes ;
Je te laisse mon fils pour gage de ma foi :
S'il me perd, je prétends qu'il me retrouve en toi.

1. **Échauffant** : excitant.
2. **Comme** : comment.
3. **Trépas** : mort.

1025 Si d'un heureux hymen[1] la mémoire t'est chère,
Montre au fils à quel point tu chérissais le père.
Et je puis voir répandre un sang si précieux ?
Et je laisse avec lui périr tous ses aïeux ?
Roi barbare, faut-il que mon crime l'entraîne[2] ?
1030 Si je te hais, est-il coupable de ma haine ?
T'a-t-il de tous les siens reproché le trépas[3] ?
S'est-il plaint à tes yeux des maux qu'il ne sent pas ?
Mais cependant, mon fils, tu meurs si je n'arrête
Le fer que le cruel tient levé sur ta tête.
1035 Je l'en puis détourner, et je t'y vais offrir ?
Non, tu ne mourras point, je ne le puis souffrir.
Allons trouver Pyrrhus. Mais non, chère Céphise,
Va le trouver pour moi.

CÉPHISE

Que faut-il que je dise ?

ANDROMAQUE

Dis-lui que de mon fils l'amour[4] est assez fort...
1040 Crois-tu que dans son cœur il ait juré sa mort ?
L'amour peut-il si loin pousser sa barbarie ?

CÉPHISE

Madame, il va bientôt revenir en furie.

ANDROMAQUE

Eh bien ! va l'assurer...

---

1. **Hymen** : mariage.
2. **Faut-il que mon crime l'entraîne** ? Faut-il que ma décision de ne pas t'épouser, que tu condamnes, entraîne mon fils à sa perte ?
3. **Trépas** : mort.
4. **De mon fils l'amour** : l'amour de mon fils.

CÉPHISE

De quoi ? de votre foi[1] ?

ANDROMAQUE

Hélas ! pour la promettre est-elle encore à moi ?

1045 Ô cendres d'un époux ! ô Troyens ! ô mon père !

Ô mon fils, que tes jours coûtent cher à ta mère !

Allons.

CÉPHISE

Où donc, Madame ? et que résolvez[2]-vous ?

ANDROMAQUE

Allons sur son tombeau consulter mon époux.

---

1. Foi : engagement au mariage.

2. Résolvez : décidez.

Acte IV

Scène première

ANDROMAQUE, CÉPHISE

CÉPHISE

Ah ! je n'en doute point : c'est votre époux, Madame,
1050 C'est Hector qui produit ce miracle en votre âme.
Il veut que Troie encor se puisse relever
Avec cet heureux fils qu'il vous fait conserver.
Pyrrhus vous l'a promis. Vous venez de l'entendre,
Madame : il n'attendait qu'un mot pour vous le rendre.
1055 Croyez-en ses transports[1] : père, sceptre[2], alliés,
Content de votre cœur, il met tout à vos pieds.
Sur lui, sur tout son peuple il vous rend souveraine.
Est-ce là ce vainqueur digne de tant de haine ?
Déjà contre les Grecs plein d'un noble courroux[3],
1060 Le soin de votre fils le touche autant que vous.
Il prévient[4] leur fureur, il lui laisse sa garde ;

---

1. **Transports** : violentes émotions.
2. **Sceptre** : symbole du pouvoir.
3. **Courroux** : colère.
4. **Prévient** : prévoit.

Pour ne pas l'exposer, lui-même il se hasarde[1].
Mais tout s'apprête au temple, et vous avez promis...

ANDROMAQUE

Oui, je m'y trouverai. Mais allons voir mon fils.

CÉPHISE

1065 Madame, qui[2] vous presse ? Il suffit que sa vue
Désormais à vos yeux ne soit plus défendue.
Vous lui pourrez bientôt prodiguer vos bontés,
Et vos embrassements ne seront plus comptés.
Quel plaisir d'élever un enfant qu'on voit craître[3],
1070 Non plus comme un esclave élevé pour son maître,
Mais pour voir avec lui renaître tant de rois !

ANDROMAQUE

Céphise, allons le voir pour la dernière fois.

CÉPHISE

Que dites-vous ? Ô dieux !

ANDROMAQUE

Ô ma chère Céphise,
Ce n'est point avec toi que mon cœur se déguise[4].
1075 Ta foi[5], dans mon malheur, s'est montrée à mes yeux ;
Mais j'ai cru qu'à mon tour tu me connaissais mieux.
Quoi donc ? as-tu pensé qu'Andromaque infidèle
Pût trahir un époux qui croit revivre en elle,
Et que de tant de morts réveillant la douleur,

1. Il se hasarde : il prend un risque, il s'expose.
2. Qui : qu'est-ce qui.
3. Craître : croître.
4. Se déguise : se dissimule.
5. Foi : fidélité.

1080 Le soin de mon repos me fît troubler le leur ?
Est-ce là cette ardeur tant promise à sa cendre ?
Mais son fils périssait ; il l'a fallu défendre.
Pyrrhus en m'épousant s'en déclare l'appui ;
Il suffit : je veux bien m'en reposer sur lui.
1085 Je sais quel est Pyrrhus : violent, mais sincère,
Céphise, il fera plus qu'il n'a promis de faire.
Sur le courroux[1] des Grecs je m'en repose encor :
Leur haine va donner un père au fils d'Hector,
Je vais donc, puisqu'il faut que je me sacrifie,
1090 Assurer à Pyrrhus le reste de ma vie ;
Je vais, en recevant sa foi sur les autels,
L'engager à mon fils par des nœuds immortels.
Mais aussitôt ma main, à moi seule funeste,
D'une infidèle vie abrégera le reste,
1095 Et sauvant ma vertu, rendra ce que je doi[2],
À Pyrrhus, à mon fils, à mon époux, à moi.
Voilà de mon amour l'innocent stratagème,
Voilà ce qu'un époux m'a commandé lui-même ;
J'irai seule rejoindre Hector et mes aïeux.
1100 Céphise, c'est à toi de me fermer les yeux[3].

CÉPHISE

Ah ! ne prétendez pas que je puisse survivre.

ANDROMAQUE

Non, non, je te défends, Céphise, de me suivre.

---

1. Courroux : colère.

2. Doi : dois (licence poétique).

3. Fermer les yeux : geste que l'on fait sur le corps de quelqu'un qui vient de mourir.

Je confie à tes soins mon unique trésor.
Si tu vivais pour moi, vis pour le fils d'Hector.
1105 De l'espoir des Troyens seule dépositaire,
Songe à combien de rois tu deviens nécessaire.
Veille auprès de Pyrrhus ; fais-lui garder sa foi :
S'il le faut, je consens qu'on lui parle de moi ;
Fais-lui valoir l'hymen[1] où je me suis rangée,
1110 Dis-lui qu'avant ma mort je lui fus engagée,
Que ses ressentiments doivent être effacés,
Qu'en lui laissant mon fils, c'est l'estimer assez.
Fais connaître à mon fils les héros de sa race[2],
Autant que tu pourras, conduis-le sur leur trace :
1115 Dis-lui par quels exploits leurs noms ont éclaté[3],
Plutôt ce qu'ils ont fait que ce qu'ils ont été ;
Parle-lui tous les jours des vertus de son père,
Et quelquefois aussi parle-lui de sa mère.
Mais qu'il ne songe plus, Céphise, à nous venger :
1120 Nous lui laissons un maître, il le doit ménager.
Qu'il ait de ses aïeux un souvenir modeste :
Il est du sang d'Hector, mais il en est le reste ;
Et pour ce reste enfin j'ai moi-même, en un jour,
Sacrifié mon sang, ma haine, et mon amour.

CÉPHISE

1125 Hélas !

ANDROMAQUE

Ne me suis point, si ton cœur en alarmes

---

1. Hymen : mariage.
2. Race : famille.
3. Éclaté : gagné leur réputation.

Prévoit qu'il ne pourra commander à tes larmes.
On vient. Cache tes pleurs, Céphise, et souviens-toi
Que le sort d'Andromaque est commis[1] à ta foi.
C'est Hermione. Allons, fuyons sa violence.

Scène 2

HERMIONE, CLÉONE

CLÉONE

1130 Non, je ne puis assez admirer[2] ce silence.
Vous vous taisez, Madame, et ce cruel mépris
N'a pas du moindre trouble agité vos esprits ?
Vous soutenez en paix une si rude attaque,
Vous qu'on voyait frémir au seul nom d'Andromaque ?
1135 Vous qui sans désespoir ne pouviez endurer
Que Pyrrhus d'un regard la voulût honorer !
Il l'épouse, il lui donne, avec son diadème,
La foi que vous venez de recevoir vous-même,
Et votre bouche encor, muette à tant d'ennui,
1140 N'a pas daigné s'ouvrir pour se plaindre de lui ?
Ah ! que je crains, Madame, un calme si funeste,
Et qu'il vaudrait bien mieux...

HERMIONE

Fais-tu venir Oreste ?

1. **Commis** : confié.
2. **Admirer** : m'étonner de.

CLÉONE

Il vient, Madame, il vient. Et vous pouvez juger
Que bientôt à vos pieds il allait se ranger[1] ;
1145 Prêt à servir toujours sans espoir de salaire,
Vos yeux ne sont que trop assurés de lui plaire.
Mais il entre.

Scène 3

ORESTE, HERMIONE, CLÉONE

ORESTE

Ah ! Madame ! est-il vrai qu'une fois
Oreste en vous cherchant obéisse à vos lois ?
Ne m'a-t-on point flatté d'une fausse espérance ?
1150 Avez-vous en effet[2] souhaité ma présence ?
Croirai-je que vos yeux, à la fin désarmés,
Veulent...

HERMIONE

Je veux savoir, Seigneur, si vous m'aimez.

ORESTE

Si je vous aime ? ô dieux ! Mes serments, mes parjures[3],
Ma fuite, mon retour, mes respects, mes injures,
1155 Mon désespoir, mes yeux de pleurs toujours noyés,
Quels témoins croirez-vous, si vous ne les croyez ?

1. **Se ranger** : se soumettre.
2. **En effet** : vraiment.
3. **Parjures** : traîtrises.

HERMIONE

Vengez-moi, je crois tout.

ORESTE

Eh bien ! allons, Madame :
Mettons encore un coup[1] toute la Grèce en flamme[2] ;
Prenons, en signalant[3] mon bras et votre nom,
1160 Vous, la place d'Hélène, et moi, d'Agamemnon.
De Troie en ce pays réveillons les misères,
Et qu'on parle de nous ainsi que de nos pères.
Partons, je suis tout prêt.

HERMIONE

Non, Seigneur, demeurons :
Je ne veux pas si loin porter de tels affronts.
1165 Quoi ! de mes ennemis couronnant l'insolence,
J'irais attendre ailleurs une lente vengeance ?
Et je m'en remettrais au destin des combats,
Qui peut-être à la fin ne me vengerait pas ?
Je veux qu'à mon départ toute l'Épire pleure.
1170 Mais si vous me vengez, vengez-moi dans une heure.
Tous vos retardements[4] sont pour moi des refus.
Courez au temple. Il faut immoler[5]...

ORESTE

Qui ?

---

1. **Encore un coup** : encore une fois.
2. La Grèce a été en flamme une première fois après le rapt d'Hélène, événement à l'origine de la guerre de Troie.
3. **En signalant** : en rendant célèbres.
4. **Retardements** : hésitations.
5. **Immoler** : sacrifier.

HERMIONE

Pyrrhus.

ORESTE

Pyrrhus, Madame !

HERMIONE

Eh quoi ! votre haine chancelle ?
Ah ! courez, et craignez que je ne vous rappelle.
1175 N'alléguez point des droits que je veux oublier ;
Et ce n'est pas à vous à le justifier.

ORESTE

Moi, je l'excuserais ? Ah ! vos bontés, Madame,
Ont gravé trop avant ses crimes dans mon âme.
Vengeons-nous, j'y consens, mais par d'autres chemins :
1180 Soyons ses ennemis, et non ses assassins ;
Faisons de sa ruine une juste conquête.
Quoi ! pour réponse aux Grecs porterai-je sa tête ?
Et n'ai-je pris sur moi le soin de tout l'État,
Que pour m'en acquitter par un assassinat ?
1185 Souffrez[1], au nom des dieux, que la Grèce s'explique,
Et qu'il meure chargé de la haine publique.
Souvenez-vous qu'il règne, et qu'un front couronné...

HERMIONE

Ne vous suffit-il pas que je l'ai[2] condamné ?
Ne vous suffit-il pas que ma gloire offensée
1190 Demande une victime à moi seule adressée ;

1. **Souffrez** : supportez, acceptez.

2. Aujourd'hui, le verbe serait au subjonctif (« aie ») et non à l'indicatif. Ce mode donne toutefois une valeur de certitude particulière à la condamnation de Pyrrhus.

Qu'Hermione est le prix d'un tyran opprimé[1],
Que je le hais ; enfin, Seigneur, que je l'aimai ?
Je ne m'en cache point : l'ingrat m'avait su plaire,
Soit qu'ainsi l'ordonnât mon amour ou mon père,
1195 N'importe ; mais enfin réglez-vous là-dessus[2].
Malgré mes vœux, Seigneur, honteusement déçus,
Malgré la juste horreur que son crime me donne,
Tant qu'il vivra, craignez que je ne lui pardonne.
Doutez jusqu'à sa mort d'un courroux[3] incertain :
1200 S'il ne meurt aujourd'hui, je puis l'aimer demain.

ORESTE

Eh bien ! Il faut le perdre, et prévenir sa grâce[4] ;
Il faut... Mais cependant que faut-il que je fasse ?
Comment puis-je si tôt servir votre courroux ?
Quel chemin jusqu'à lui peut conduire mes coups ?
1205 À peine suis-je encore arrivé dans l'Épire,
Vous voulez par mes mains renverser un empire ;
Vous voulez qu'un roi meure, et pour son châtiment
Vous ne donnez qu'un jour, qu'une heure, qu'un moment.
Aux yeux de tout son peuple, il faut que je l'opprime ?
1210 Laissez-moi vers l'autel conduire ma victime.
Je ne m'en défends plus ; et je ne veux qu'aller
Reconnaître la place où je dois l'immoler[5].
Cette nuit je vous sers, cette nuit je l'attaque.

---

1. D'un tyran opprimé : de la mort d'un tyran.

2. Réglez-vous là-dessus : conduisez-vous en fonction de cela.

3. Courroux : colère.

4. Prévenir sa grâce : devancer sa grâce, agir avant qu'Hermione ne gracie Pyrrhus.

5. Immoler : sacrifier.

HERMIONE

Mais cependant[1] ce jour il épouse Andromaque.
1215 Dans le temple déjà le trône est élevé,
Ma honte est confirmée, et son crime achevé.
Enfin qu'attendez-vous ? Il vous offre sa tête :
Sans gardes, sans défense, il marche à cette fête ;
Autour du fils d'Hector il les fait tous ranger ;
1220 Il s'abandonne au bras qui me voudra venger.
Voulez-vous malgré lui prendre soin de sa vie ?
Armez avec vos Grecs tous ceux qui m'ont suivie ;
Soulevez vos amis. Tous les miens sont à vous :
Il me trahit, vous trompe, et nous méprise tous.
1225 Mais quoi ? Déjà leur haine est égale à la mienne :
Elle épargne à regret l'époux d'une Troyenne.
Parlez : mon ennemi ne vous peut échapper.
Ou plutôt, il ne faut que les laisser frapper.
Conduisez ou suivez une fureur si belle ;
1230 Revenez tout couvert du sang de l'infidèle ;
Allez : en cet état soyez sûr de mon cœur.

ORESTE

Mais, Madame, songez...

HERMIONE

Ah ! c'en est trop, Seigneur.
Tant de raisonnements offensent ma colère.
J'ai voulu vous donner les moyens de me plaire,
1235 Rendre Oreste content ; mais enfin je vois bien
Qu'il veut toujours se plaindre, et ne mériter rien.

---

1. Cependant : pendant ce temps.

Partez : allez ailleurs vanter votre constance,
Et me laissez ici le soin de ma vengeance.
De mes lâches bontés mon courage est confus,
1240 Et c'est trop en un jour essuyer de refus.
Je m'en vais seule au temple, où leur hymen s'apprête[1],
Où vous n'osez aller mériter ma conquête.
Là, de mon ennemi je saurai m'approcher.
Je percerai le cœur que je n'ai pu toucher,
1245 Et mes sanglantes mains, sur moi-même tournées,
Aussitôt, malgré lui, joindront nos destinées,
Et tout ingrat qu'il est, il me sera plus doux
De mourir avec lui que de vivre avec vous.

ORESTE

Non, je vous priverai de ce plaisir funeste,
1250 Madame : il ne mourra que de la main d'Oreste.
Vos ennemis par moi vont vous être immolés[2],
Et vous reconnaîtrez mes soins[3], si vous voulez.

HERMIONE

Allez. De votre sort laissez-moi la conduite,
Et que tous vos vaisseaux soient prêts pour notre fuite.

---

1. Leur hymen s'apprête : leur mariage se prépare.

2. Immolés : sacrifiés.

3. Vous reconnaîtrez mes soins : vous aurez de la reconnaissance pour mon dévouement.

Scène 4

HERMIONE, CLÉONE

CLÉONE

1255 Vous vous perdez, Madame, et vous devez songer...

HERMIONE

Que je me perde ou non, je songe à me venger.
Je ne sais même encor, quoi qu'il m'ait pu promettre,
Sur d'autres que sur moi si je dois m'en remettre :
Pyrrhus n'est pas coupable à ses yeux comme aux miens,
1260 Et je tiendrais[1] mes coups bien plus sûrs que les siens.
Quel plaisir de venger moi-même mon injure[2],
De retirer mon bras teint du sang du parjure[3],
Et pour rendre sa peine et mes plaisirs plus grands,
De cacher ma rivale à ses regards mourants !
1265 Ah ! si du moins Oreste, en punissant son crime,
Lui laissait le regret de mourir ma victime !
Va le trouver : dis-lui qu'il apprenne à l'ingrat
Qu'on l'immole[4] à ma haine, et non pas à l'État.
Chère Cléone, cours : ma vengeance est perdue
1270 S'il ignore en mourant que c'est moi qui le tue.

CLÉONE

Je vous obéirai ! Mais qu'est-ce que je voi[5] ?
Ô dieux ! qui l'aurait cru, Madame ? C'est le roi !

---

1. **Je tiendrais** : j'estimerais.
2. **Mon injure** : le tort qu'on m'a fait.
3. **Parjure** : trahison.
4. **Immole** : sacrifie.
5. **Voi** : vois (licence poétique).

HERMIONE

Ah ! cours après Oreste ; et dis-lui, ma Cléone,
Qu'il n'entreprenne rien sans revoir Hermione !

Scène 5

PYRRHUS, HERMIONE, PHŒNIX

PYRRHUS

275 Vous ne m'attendiez pas, Madame, et je vois bien
Que mon abord[1] ici trouble votre entretien.
Je ne viens point armé d'un indigne artifice,
D'un voile d'équité couvrir mon injustice :
Il suffit que mon cœur me condamne tout bas,
280 Et je soutiendrais mal ce que je ne crois pas[2].
J'épouse une Troyenne. Oui, Madame, et j'avoue
Que je vous ai promis la foi que je lui voue.
Un autre vous dirait que dans les champs[3] troyens
Nos deux pères sans nous formèrent ces liens,
285 Et que sans consulter ni mon choix ni le vôtre,
Nous fûmes sans amour engagés l'un à l'autre ;
Mais c'est assez pour moi que je me sois soumis.
Par mes ambassadeurs mon cœur vous fut promis ;
Loin de les révoquer, je voulus y souscrire :
290 Je vous vis avec eux arriver en Épire,

1. **Abord** : arrivée.
2. **Je soutiendrais mal ce que je ne crois pas** : je défendrais mal une cause à laquelle je ne crois pas.
3. **Champs** : champs de bataille.

Et quoique d'un autre œil l'éclat victorieux
Eût déjà prévenu le pouvoir de vos yeux,
Je ne m'arrêtai point à cette ardeur nouvelle ;
Je voulus m'obstiner à vous être fidèle :
1295 Je vous reçus en reine, et jusques à ce jour
J'ai cru que mes serments me tiendraient lieu d'amour.
Mais cet amour l'emporte. Et par un coup funeste,
Andromaque m'arrache un cœur qu'elle déteste.
L'un par l'autre entraînés, nous courons à l'autel
1300 Nous jurer, malgré nous, un amour immortel.
Après cela, Madame, éclatez[1] contre un traître,
Qui l'est avec douleur, et qui pourtant veut l'être.
Pour moi, loin de contraindre un si juste courroux[2],
Il me soulagera peut-être autant que vous.
1305 Donnez-moi tous les noms destinés aux parjures[3] :
Je crains votre silence, et non pas vos injures,
Et mon cœur soulevant mille secrets témoins
M'en dira d'autant plus que vous m'en direz moins.

HERMIONE

Seigneur, dans cet aveu dépouillé d'artifice,
1310 J'aime à voir que du moins vous vous rendiez justice,
Et que voulant bien rompre un nœud si solennel,
Vous vous abandonniez au crime en criminel.
Est-il juste après tout qu'un conquérant s'abaisse
Sous la servile loi de garder sa promesse ?
1315 Non, non, la perfidie[4] a de quoi vous tenter ;

1. **Éclatez** : laissez éclater votre colère.
2. **Courroux** : colère.
3. **Parjures** : traîtres.
4. **Perfidie** : traîtrise.

Et vous ne me cherchez que pour vous en vanter.
Quoi ? Sans que ni serment ni devoir vous retienne,
Rechercher une Grecque, amant d'une Troyenne ?
Me quitter, me reprendre, et retourner encor
1320 De la fille d'Hélène à la veuve d'Hector ?
Couronner tour à tour l'esclave, et la princesse,
Immoler[1] Troie aux Grecs, au fils d'Hector la Grèce ?
Tout cela part d'un cœur toujours maître de soi,
D'un héros qui n'est point esclave de sa foi.
1325 Pour plaire à votre épouse, il vous faudrait peut-être
Prodiguer les doux noms de parjure[2], et de traître.
Vous veniez de mon front observer la pâleur,
Pour aller dans ses bras rire de ma douleur.
Pleurante après son char vous voulez qu'on me voie ;
1330 Mais, Seigneur, en un jour ce serait trop de joie ;
Et sans chercher ailleurs des titres empruntés,
Ne vous suffit-il pas de ceux que vous portez ?
Du vieux père d'Hector la valeur abattue
Aux pieds de sa famille expirante à sa vue,
1335 Tandis que dans son sein votre bras enfoncé
Cherche un reste de sang que l'âge avait glacé ;
Dans des ruisseaux de sang Troie ardente plongée,
De votre propre main Polyxène[3] égorgée
Aux yeux de tous les Grecs indignés contre vous :
1340 Que peut-on refuser à ces généreux coups ?

---

1. Immoler : sacrifier.

2. Parjure : traître.

3. Polyxène : fille de Priam et d'Hécube, sacrifiée par Pyrrhus sur la tombe d'Achille.

Pyrrhus

Madame, je sais trop à quels excès de rage
La vengeance d'Hélène emporta mon courage.
Je puis me plaindre à vous du sang que j'ai versé[1] ;
Mais enfin je consens d'oublier le passé.
1345 Je rends grâces au ciel que votre indifférence
De mes heureux soupirs m'apprenne l'innocence.
Mon cœur, je le vois bien, trop prompt à se gêner[2],
Devait[3] mieux vous connaître et mieux s'examiner.
Mes remords vous faisaient une injure mortelle.
1350 Il faut se croire aimé pour se croire infidèle.
Vous ne prétendiez point m'arrêter dans vos fers[4] :
Je crains de vous trahir, peut-être je vous sers.
Nos cœurs n'étaient point faits dépendants l'un de l'autre ;
Je suivais mon devoir, et vous cédiez au vôtre ;
1355 Rien ne vous engageait à m'aimer en effet.

Hermione

Je ne t'ai point aimé, cruel ? Qu'ai-je donc fait ?
J'ai dédaigné[5] pour toi les vœux de tous nos princes,
Je t'ai cherché moi-même au fond de tes provinces.
J'y suis encor, malgré tes infidélités,
1360 Et malgré tous mes Grecs honteux de mes bontés.
Je leur ai commandé de cacher mon injure ;
J'attendais en secret le retour d'un parjure[6] ;

1. Hermione est la fille d'Hélène.
2. **Se gêner** : se tourmenter.
3. **Devait** : aurait dû.
4. **M'arrêter dans vos fers** : me retenir prisonnière de votre amour.
5. **Dédaigné** : méprisé.
6. **Parjure** : traître.

J'ai cru que tôt ou tard, à ton devoir rendu,
Tu me rapporterais un cœur qui m'était dû.
1365 Je t'aimais inconstant, qu'aurais-je fait fidèle[1] ?
Et même en ce moment, où ta bouche cruelle
Vient si tranquillement m'annoncer le trépas[2],
Ingrat, je doute encor si je ne t'aime pas.
Mais, Seigneur, s'il le faut, si le ciel en colère
1370 Réserve à d'autres yeux la gloire de vous plaire,
Achevez votre hymen[3], j'y consens ; mais du moins
Ne forcez pas mes yeux d'en être les témoins.
Pour la dernière fois je vous parle peut-être.
Différez-le d'un jour, demain, vous serez maître.
1375 Vous ne répondez point ? Perfide[4], je le voi[5],
Tu comptes les moments que tu perds avec moi.
Ton cœur, impatient de revoir ta Troyenne,
Ne souffre qu'à regret qu'un autre t'entretienne.
Tu lui parles du cœur, tu la cherches des yeux.
1380 Je ne te retiens plus, sauve-toi de ces lieux,
Va lui jurer la foi que tu m'avais jurée,
Va profaner des dieux la majesté sacrée.
Ces dieux, ces justes dieux n'auront pas oublié
Que les mêmes serments avec moi t'ont lié.
1385 Porte au pied des autels ce cœur qui m'abandonne.
Va, cours ; mais crains encor d'y trouver Hermione.

1. Qu'aurais-je fait fidèle : qu'aurais-je fait si tu avais été fidèle.
2. Trépas : mort.
3. Hymen : mariage.
4. Perfide : traître.
5. Voi : vois (licence poétique).

Scène 6

PYRRHUS, PHŒNIX

PHŒNIX

Seigneur, vous entendez. Gardez[1] de négliger
Une amante[2] en fureur, qui cherche à se venger.
Elle n'est en ces lieux que trop bien appuyée :
1390 La querelle des Grecs à la sienne est liée ;
Oreste l'aime encore, et peut-être à ce prix...

PYRRHUS

Andromaque m'attend. Phœnix, garde son fils.

1. **Gardez** : évitez, abstenez-vous.
2. **Amante** : femme qui aime.

Acte V

Scène première

Hermione, *seule.*

Où suis-je ? Qu'ai-je fait ? Que dois-je faire encore ?
Quel transport[1] me saisit ? Quel chagrin me dévore ?
1395 Errante, et sans dessein[2], je cours dans ce palais.
Ah ! ne puis-je savoir si j'aime, ou si je hais ?
Le cruel ! de quel œil il m'a congédiée !
Sans pitié, sans douleur au moins étudiée[3].
L'ai-je vu se troubler et me plaindre un moment ?
1400 En ai-je pu tirer un seul gémissement ?
Muet à mes soupirs, tranquille à mes alarmes,
Semblait-il seulement qu'il eût part à mes larmes ?
Et je le plains encore ! Et pour comble d'ennui[4],
Mon cœur, mon lâche cœur s'intéresse[5] pour lui ?
1405 Je tremble au seul penser[6] du coup qui le menace ?
Et prête à me venger, je lui fais déjà grâce ?
Non, ne révoquons point l'arrêt[7] de mon courroux[8] :
Qu'il périsse. Aussi bien il ne vit plus pour nous.

---

1. **Transport** : violente émotion.
2. **Sans dessein** : sans but.
3. **Étudiée** : feinte.
4. **Ennui** : douleur, tourment (sens fort).
5. **S'intéresse** : prend parti.
6. **Penser** : pensée.
7. **Arrêt** : décision.
8. **Courroux** : colère.

Le perfide[1] triomphe et se rit de ma rage :
1410 Il pense voir en pleurs dissiper cet orage ;
Il croit que toujours faible et d'un cœur incertain,
Je parerai d'un bras les coups de l'autre main.
Il juge encor de moi par mes bontés passées.
Mais plutôt le perfide a bien d'autres pensées :
1415 Triomphant dans le temple, il ne s'informe pas
Si l'on souhaite ailleurs sa vie ou son trépas[2].
Il me laisse, l'ingrat ! cet embarras funeste.
Non, non, encore un coup, laissons agir Oreste.
Qu'il meure, puisque enfin il a dû le prévoir,
1420 Et puisqu'il m'a forcée enfin à le vouloir.
À le vouloir ? Hé quoi ? C'est donc moi qui l'ordonne ?
Sa mort sera l'effet de l'amour d'Hermione ?
Ce prince, dont mon cœur se faisait autrefois
Avec tant de plaisir redire les exploits,
1425 À qui même en secret je m'étais destinée
Avant qu'on eût conclu ce fatal hyménée[3],
Je n'ai donc traversé tant de mers, tant d'États,
Que pour venir si loin préparer son trépas ?
L'assassiner ? le perdre ? Ah ! devant[4] qu'il expire...

---

1. Perfide : traître.
2. Trépas : mort.
3. Hyménée : mariage.
4. Devant : avant.

Scène 2

HERMIONE, CLÉONE

HERMIONE

1430 Ah ! qu'ai-je fait, Cléone ? et que viens-tu me dire ?
Que fait Pyrrhus ?

CLÉONE

Il est au comble de ses vœux,
Le plus fier des mortels, et le plus amoureux.
Je l'ai vu vers le temple, où son hymen[1] s'apprête,
Mener en conquérant sa nouvelle conquête,
1435 Et d'un œil où brillaient sa joie et son espoir,
S'enivrer, en marchant, du plaisir de la voir.
Andromaque, au travers de mille cris de joie,
Porte jusqu'aux autels le souvenir de Troie.
Incapable toujours d'aimer et de haïr,
1440 Sans joie, et sans murmure elle semble obéir.

HERMIONE

Et l'ingrat ? Jusqu'au bout il a poussé l'outrage ?
Mais as-tu bien, Cléone, observé son visage ?
Goûte-t-il des plaisirs tranquilles et parfaits ?
N'a-t-il point détourné ses yeux vers le palais ?
1445 Dis-moi, ne t'es-tu point présentée à sa vue ?
L'ingrat a-t-il rougi lorsqu'il t'a reconnue ?
Son trouble avouait-il son infidélité ?
A-t-il jusqu'à la fin soutenu sa fierté ?

1. **Hymen** : mariage.

CLÉONE

Madame, il ne voit rien. Son salut et sa gloire
1450 Semblent être avec vous sortis de sa mémoire.
Sans songer qui le suit, ennemis ou sujets,
Il poursuit seulement ses amoureux projets.
Autour du fils d'Hector il a rangé sa garde,
Et croit que c'est lui seul que le péril regarde[1].
1455 Phœnix même en répond, qui l'a conduit exprès
Dans un fort éloigné du temple et du palais.
Voilà, dans ses transports, le seul soin qui lui reste.

HERMIONE

Le perfide[2] ! Il mourra. Mais que t'a dit Oreste ?

CLÉONE

Oreste, avec ses Grecs, dans le temple est entré.

HERMIONE

1460 Hé bien ? à me venger n'est-il pas préparé ?

CLÉONE

Je ne sais.

HERMIONE

Tu ne sais ? Quoi donc ? Oreste encore,
Oreste me trahit ?

CLÉONE

Oreste vous adore.
Mais de mille remords son esprit combattu
Croit tantôt son amour, et tantôt sa vertu.
1465 Il respecte en Pyrrhus l'honneur du diadème ;

1. **Que le péril regarde** : qui est concerné par le danger, qui est menacé.
2. **Perfide** : traître.

Il respecte en Pyrrhus Achille, et Pyrrhus même ;
Il craint la Grèce, il craint l'univers en courroux[1],
Mais il se craint, dit-il, soi-même plus que tous.
Il voudrait en vainqueur vous apporter sa tête ;
1470 Le seul nom d'assassin l'épouvante et l'arrête.
Enfin il est entré, sans savoir dans son cœur
S'il en devait sortir coupable, ou spectateur.

HERMIONE

Non, non, il les verra triompher sans obstacle,
Il se gardera bien de troubler ce spectacle.
1475 Je sais de quels remords son courage est atteint :
Le lâche craint la mort, et c'est tout ce qu'il craint.
Quoi ? sans qu'elle employât une seule prière,
Ma mère en sa faveur arma la Grèce entière ?
Ses yeux pour leur querelle, en dix ans de combats,
1480 Virent périr vingt rois qu'ils ne connaissaient pas ?
Et moi, je ne prétends[2] que la mort d'un parjure[3],
Et je charge un amant[4] du soin de mon injure,
Il peut me conquérir à ce prix, sans danger,
Je me livre moi-même et ne puis me venger ?
1485 Allons : c'est à moi seule à me rendre justice.
Que de cris de douleur le temple retentisse ;
De leur hymen[5] fatal troublons l'événement[6],
Et qu'ils ne soient unis, s'il se peut, qu'un moment.

---

1. **Courroux** : colère.
2. **Prétends** : réclame.
3. **Parjure** : traître.
4. **Amant** : celui qui aime.
5. **Hymen** : mariage.
6. **Événement** : célébration.

Je ne choisirai point dans ce désordre extrême :
1490 Tout me sera Pyrrhus[1], fût-ce Oreste lui-même.
Je mourrai ; mais au moins ma mort me vengera,
Je ne mourrai pas seule, et quelqu'un me suivra.

Scène 3

ORESTE, HERMIONE, CLÉONE

ORESTE

Madame, c'en est fait, et vous êtes servie :
Pyrrhus rend à l'autel son infidèle vie.

HERMIONE

1495 Il est mort ?

ORESTE

Il expire ; et nos Grecs irrités
Ont lavé dans son sang ses infidélités.
Je vous l'avais promis ; et quoique mon courage
Se fît de ce complot une funeste image,
J'ai couru vers le temple, où nos Grecs dispersés
1500 Se sont jusqu'à l'autel dans la foule glissés.
Pyrrhus m'a reconnu. Mais sans changer de face[2],
Il semblait que ma vue excitât son audace,
Que tous les Grecs bravés en leur ambassadeur
Dussent de son hymen[3] relever la splendeur.

1. **Tout me sera Pyrrhus** : tout méritera ma vengeance.
2. **Face** : visage.
3. **Hymen** : mariage.

1505 Enfin, avec transport prenant son diadème,
Sur le front d'Andromaque il l'a posé lui-même :
Je vous donne, a-t-il dit, ma couronne et ma foi,
Andromaque, régnez sur l'Épire et sur moi.
Je voue à votre fils une amitié de père,
1510 J'en atteste les dieux[1], je le jure à sa mère :
Pour tous mes ennemis je déclare les siens[2],
Et je le reconnais pour le roi des Troyens.
À ces mots, qui du peuple attiraient le suffrage[3],
Nos Grecs n'ont répondu que par un cri de rage ;
1515 L'infidèle s'est vu partout envelopper[4],
Et je n'ai pu trouver de place pour frapper.
Chacun se disputait la gloire de l'abattre.
Je l'ai vu dans leurs mains quelque temps se débattre,
Tout sanglant à leurs coups vouloir se dérober,
1520 Mais enfin à l'autel il est allé tomber.
Du peuple épouvanté j'ai traversé la presse[5]
Pour venir de ces lieux enlever ma princesse,
Et regagner le port, où bientôt nos amis
Viendront couverts du sang que je vous ai promis.

HERMIONE

1525 Qu'ont-ils fait !

ORESTE

Pardonnez à leur impatience :

---

1. **J'en atteste les dieux** : j'en prends les dieux à témoin.
2. **Pour tous mes ennemis je déclare les siens** : je déclare que les ennemis d'Astyanax seront aussi les miens.
3. **Suffrage** : approbation.
4. **Envelopper** : encercler.
5. **Presse** : foule.

Ils ont, je le vois bien, trahi votre vengeance.
Vous vouliez que ma main portât les premiers coups,
Qu'il sentît en mourant qu'il expirait pour vous ;
Mais c'est moi dont l'ardeur leur a servi d'exemple :
1530 Je les ai pour vous seule entraînés dans le temple,
Madame, et vous pouvez justement vous flatter
D'une mort que leurs bras n'ont fait qu'exécuter.
Vous seule avez poussé les coups...

HERMIONE

Tais-toi, perfide[1].
Et n'impute qu'à toi ton lâche parricide[2].
1535 Va faire chez tes Grecs admirer ta fureur,
Va, je la désavoue, et tu me fais horreur.
Barbare, qu'as-tu fait ? Avec quelle furie
As-tu tranché le cours d'une si belle vie ?
Avez-vous pu, cruels, l'immoler[3] aujourd'hui,
1540 Sans que tout votre sang se soulevât pour lui ?
Mais parle : de son sort qui t'a rendu l'arbitre ?
Pourquoi l'assassiner ? Qu'a-t-il fait ? À quel titre ?
Qui te l'a dit ?

ORESTE

Ô dieux ! Quoi ? ne m'avez-vous pas
Vous-même, ici, tantôt, ordonné son trépas[4] ?

---

1. Perfide : traître.

2. Parricide : meurtre du père, ou plus généralement d'un personnage auquel on accorde une valeur particulière (ici, le roi).

3. Immoler : sacrifier.

4. Trépas : mort.

HERMIONE

1545 Ah ! fallait-il en croire une amante[1] insensée ?
Ne devais-tu pas[2] lire au fond de ma pensée ?
Et ne voyais-tu pas dans mes emportements
Que mon cœur démentait ma bouche à tous moments ?
Quand je l'aurais voulu, fallait-il y souscrire ?
1550 N'as-tu pas dû[3] cent fois te le faire redire,
Toi-même avant le coup me venir consulter,
Y revenir encore, ou plutôt m'éviter ?
Que ne me laissais-tu le soin de ma vengeance ?
Qui[4] t'amène en des lieux où l'on fuit ta présence ?
1555 Voilà de ton amour le détestable fruit :
Tu l'apportais, cruel, le malheur qui te suit.
C'est toi dont l'ambassade, à tous les deux fatale,
L'a fait pour son malheur pencher vers ma rivale.
Nous le verrions encor nous partager ses soins ;
1560 Il m'aimerait peut-être, il le feindrait du moins.
Adieu. Tu peux partir. Je demeure en Épire :
Je renonce à la Grèce, à Sparte, à son empire,
À toute ma famille ; et c'est assez pour moi,
Traître, qu'elle ait produit un monstre comme toi.

1. **Amante** : celle qui aime.
2. **Ne devais-tu pas** : n'aurais-tu pas dû.
3. **N'as-tu pas dû** : n'aurais-tu pas dû.
4. **Qui** : qu'est-ce qui ?

Scène 4

ORESTE, *seul*.

1565 Que vois-je ? Est-ce Hermione ? Et que viens-je d'entendre ?
Pour qui coule le sang que je viens de répandre ?
Je suis, si je l'en crois, un traître, un assassin.
Est-ce Pyrrhus qui meurt ? et suis-je Oreste enfin ?
Quoi ? j'étouffe en mon cœur la raison qui m'éclaire.
1570 J'assassine à regret un roi que je révère[1],
Je viole en un jour les droits des souverains,
Ceux des ambassadeurs, et tous ceux des humains ;
Ceux même des autels, où ma fureur l'assiège :
Je deviens parricide, assassin, sacrilège[2].
1575 Pour qui ? pour une ingrate à qui je le promets,
Qui même, s'il ne meurt, ne me verra jamais,
Dont j'épouse[3] la rage. Et quand je l'ai servie,
Elle me redemande et son sang et sa vie !
Elle l'aime ! et je suis un monstre furieux !
1580 Je la vois pour jamais[4] s'éloigner de mes yeux.
Et l'ingrate, en fuyant, me laisse pour salaire
Tous les noms odieux que j'ai pris pour lui plaire !

---

1. Révère : respecte profondément.

2. Sacrilège : celui qui manque de respect à une chose sacrée ou à un dieu (dans le contexte, à Pyrrhus).

3. J'épouse : je partage.

4. Pour jamais : pour toujours.

Scène 5

ORESTE, PYLADE, SOLDATS D'ORESTE

PYLADE

Il faut partir, Seigneur. Sortons de ce palais,
Ou bien résolvons[1]-nous de n'en sortir jamais.
1585 Nos Grecs pour un moment en défendent la porte ;
Tout le peuple assemblé nous poursuit à main-forte[2] ;
Aux ordres d'Andromaque ici tout est soumis,
Ils la traitent en reine, et nous comme ennemis.
Andromaque elle-même, à Pyrrhus si rebelle,
1590 Lui rend tous les devoirs d'une veuve fidèle,
Commande qu'on le venge, et peut-être sur nous
Veut venger Troie encore et son premier époux.
Allons. N'attendons pas que l'on nous environne :
Nos Grecs nous rejoindront ; et tandis qu'Hermione
1595 Tient encore le peuple autour d'elle arrêté,
Voilà notre chemin, sortons en sûreté.

ORESTE

Non, non, c'est Hermione, amis, que je veux suivre.
À son dernier arrêt je ne puis plus survivre.
Partez : j'ai fait le crime, et je vais l'expier.

PYLADE

1600 Hermione, Seigneur ? Il la faut oublier.
Quoi ! toujours l'instrument et l'objet de sa rage,
Cherchez-vous chez les morts quelque nouvel outrage ?
Et parce qu'elle meurt faut-il que vous mouriez ?

---

1. **Résolvons** : décidons.
2. **À main-forte** : les armes à la main.

ORESTE

Elle meurt ? Dieux ! qu'entends-je ?

PYLADE

Eh quoi ? vous l'ignoriez ?

1605 En rentrant dans ces lieux nous l'avons rencontrée
Qui courait vers le temple, inquiète, égarée.
Elle a trouvé Pyrrhus porté sur des soldats
Que son sang excitait à venger son trépas[1].
Sans doute à cet objet sa rage s'est émue.
1610 Mais du haut de la porte enfin nous l'avons vue
Un poignard à la main, sur Pyrrhus se courber,
Lever les yeux au ciel, se frapper et tomber.

ORESTE

Grâce aux dieux ! Mon malheur passe mon espérance !
Oui, je te loue, ô ciel ! de ta persévérance.
1615 Appliqué sans relâche au soin de me punir,
Au comble des douleurs tu m'as fait parvenir.
Ta haine a pris plaisir à former ma misère ;
J'étais né pour servir d'exemple à ta colère,
Pour être du malheur un modèle accompli.
1620 Hé bien, je meurs content, et mon sort est rempli.
Où sont ces deux amants ? Pour couronner ma joie,
Dans leur sang, dans le mien, il faut que je me noie ;
L'un et l'autre en mourant je les veux regarder :
Réunissons trois cœurs qui n'ont pu s'accorder.
1625 Mais quelle épaisse nuit tout à coup m'environne ?
De quel côté sortir ? D'où vient que je frissonne ?

---

1. **Trépas** : mort.

Quelle horreur me saisit ? Grâce au ciel j'entrevoi[1].
Dieux ! quels ruisseaux de sang coulent autour de moi !

PYLADE

Ah ! Seigneur !

ORESTE

Quoi ? Pyrrhus, je te rencontre encore ?
1630 Trouverai-je partout un rival que j'abhorre ?
Percé de tant de coups, comment t'es-tu sauvé ?
Tiens, tiens, voilà le coup que je t'ai réservé.
Mais que vois-je ? À mes yeux Hermione l'embrasse[2] !
Elle vient l'arracher au coup qui le menace ?
1635 Dieux ! quels affreux regards elle jette sur moi !
Quels démons, quels serpents traîne-t-elle après soi ?
Eh bien ! filles d'enfer[3], vos mains sont-elles prêtes ?
Pour qui sont ces serpents qui sifflent sur vos têtes ?
À qui destinez-vous l'appareil[4] qui vous suit ?
1640 Venez-vous m'enlever dans l'éternelle nuit ?
Venez, à vos fureurs Oreste s'abandonne.
Mais non, retirez-vous, laissez faire Hermione :
L'ingrate mieux que vous saura me déchirer,
Et je lui porte enfin mon cœur à dévorer.

PYLADE

1645 Il perd le sentiment[5]. Amis, le temps nous presse.

1. J'entrevoi : j'entrevois (licence orthographique).

2. L'embrasse : l'entoure de ses bras.

3. Filles d'enfer : Furies ou Érinyes, déesses de la vengeance, qui habitaient aux Enfers. Elles persécutaient les criminels.

4. Appareil : cortège.

5. Il perd le sentiment : il perd connaissance.

Ménageons les moments que ce transport nous laisse.
Sauvons-le. Nos efforts deviendraient impuissants
S'il reprenait ici sa rage avec ses sens.

Fin

Anthologie
sur
les héroïnes tragiques

La tragédie est généralement considérée comme un univers d'hommes, qui acceptent le risque de la mort pour inscrire par leurs hauts faits leur nom dans l'Histoire. Supposée faible, soumise à ses émotions, la femme serait bien plus un obstacle à l'héroïsme des hommes qu'une héroïne elle-même. Mais elle n'en est pas moins au cœur de nombreuses tragédies. Elle doit, elle aussi, faire des choix difficiles, qui impliquent des sacrifices. Le choix de la raison d'État, de l'intérêt collectif, qui est souvent celui de l'homme, n'est pas le seul héroïque. Celui de l'intérêt particulier, des sentiments amoureux ou familiaux, plutôt défendu par les femmes, implique également du courage et une forme de résistance, qui nous invite à la vigilance face aux éventuelles dérives tyranniques du pouvoir. L'héroïne tragique suscite non seulement l'admiration et la pitié, quand le malheur la frappe inéluctablement dans le dénouement, mais aussi la terreur. Ses passions excessives, signes de son orgueil, font peur. Elle peut même agir comme un monstre, qui renie, dans un accès de folie, toutes les lois sociales et morales communément admises.

Depuis l'Antiquité, la femme est indissociable de la fureur tragique. Perçue comme une magicienne, elle séduit et effraie par ses crimes impies, dont l'homme, plus raisonnable, est souvent la victime. Au XVIIe siècle, le théâtre classique tente d'inviter à la maîtrise des passions, qu'il met en scène de manière moins spectaculaire, en insistant sur les ravages qu'elles entraînent. Aux XVIIIe et XIXe siècles, la tragédie laisse place au drame, qui s'inspire de l'Histoire, et non plus de la mythologie. L'héroïne n'y est pas écrasée par un destin qui l'entraîne inexorablement vers la souffrance et la mort. Elle retrouve en partie sa liberté de lutter, avec d'autres armes que les hommes, et en particulier grâce au langage. Le théâtre contemporain est marqué par un certain retour de l'inspiration mythologique et du tragique. Antigone, Électre, Andromaque et bien d'autres sont des figures atemporelles et universelles qui permettent au spectateur de réfléchir sur son présent et sur le tragique de la condition humaine. Si on a l'habitude de penser l'héroïsme au masculin, peut-on définir une expression particulière, originale, du tragique au féminin ?

De l'Antiquité au XVIe siècle : des héroïnes furieuses

Les héroïnes tragiques de l'Antiquité sont caractérisées par leur violence, qui parfois fait d'elles des monstres. Au XVIe siècle, la redécouverte des textes antiques par les humanistes s'accompagne de celle des tragédies, dont les dramaturges proposent de nombreuses réécritures.

Les héroïnes antiques ou la mise en question de l'ordre du monde

Sophocle, Eschyle, Euripide sont les premiers à mettre en scène les grandes héroïnes tragiques. La *Médée* de Sénèque s'inspire en partie de celle d'Euripide. Mais la tragédie romaine n'en a pas moins son originalité : elle repose sur la fureur (ou *furor*) du personnage, conséquence de sa souffrance physique et morale intense (ou *dolor*). L'héroïne en vient à accomplir un crime si extraordinaire qu'il en est innommable (ou *scelus nefas*)[1].

---

1. Voir Florence Dupont, *Les Monstres de Sénèque. Pour une dramaturgie de la tragédie romaine*, Belin, 1995.

Texte 1

TRAGÉDIE

SOPHOCLE ♦ *Électre* (ve siècle av. J.-C.), traduction Paul Mazon.

Électre a convaincu Oreste, son frère, de tuer Clytemnestre, leur mère, coupable d'avoir trompé Agamemnon et de l'avoir assassiné à son retour de Troie avec l'aide d'Égisthe, son amant. Elle lui demande également de tuer Égisthe. Le chœur, dirigé par le coryphée et composé ici de jeunes femmes de Mycènes, ponctue l'action de commentaires qui en accentuent la dimension tragique.

ÉLECTRE. – Ô chères amies, nos hommes vont avoir achevé leur ouvrage. Restez muettes en attendant.

LE CORYPHÉE. – Mais comment vont les choses ? Que font-ils pour l'instant ?

5 ÉLECTRE. – Elle pare l'urne pour les funérailles[1]. Les deux autres sont à ses côtés.

LE CORYPHÉE. – Et toi, pourquoi es-tu soudainement sortie ?

ÉLECTRE. – Pour veiller à ce qu'Égisthe ne nous surprenne pas à son tour en rentrant.

10 CLYTEMNESTRE, *à l'intérieur*. – Ah ! maison vide d'amis et toute pleine de tueurs !...

ÉLECTRE. – On crie là-dedans, mes amis, n'entendez-vous pas ?

LE CHŒUR. – *Malheureuse, j'entends des cris que je ne voudrais pas entendre et qui me donnent le frisson.*

15 CLYTEMNESTRE. – Las ! misérable ! Égisthe, où donc es-tu ?

ÉLECTRE. – Entends, encore un cri !

CLYTEMNESTRE. – Mon fils, mon fils, aie pitié de ta mère !

ÉLECTRE. – As-tu eu pitié de lui, toi, et du père de qui tu l'avais conçu ?

---

1. Clytemnestre croit qu'Oreste est mort et que ses cendres sont dans une urne. Ce stratagème est destiné à la surprendre et à éviter que les soupçons ne se portent sur Oreste.

20 LE CHŒUR. – Ô cité ! ô race infortunée, voici l'heure où le destin qui suit tes jours commence à faiblir, à faiblir.

CLYTEMNESTRE. – Hélas ! je suis frappée !

ÉLECTRE. – Va donc, encore un coup, si tu t'en sens la force !

CLYTEMNESTRE. – Hélas ! une fois encore !

25 ÉLECTRE. – Ah ! pourquoi pas Égisthe en même temps ?

LE CHŒUR. – *Les imprécations*[1] *s'accomplissent : ils sont vivants, les morts couchés sous terre. Les victimes d'autrefois prennent en représailles le sang de leurs assassins.*

Texte 2

TRAGÉDIE

EURIPIDE ♦ *Andromaque* (426 av. J.-C.), traduction M. Artaud, 1842.

Euripide (480-406 av. J.-C.), dans Les Troyennes, *s'est déjà intéressé à la guerre de Troie. Dans* Andromaque, *il continue d'en explorer les conséquences tragiques. Andromaque, l'ancienne femme d'Hector, devenue esclave de Néoptolème*[2]*, le fils d'Achille, met au monde un enfant de lui : Molossos. Elle craint pour sa vie et pour celle de son enfant. C'est pourquoi elle tente d'abord de trouver refuge dans un temple, avant de décider de se livrer, dans l'espoir de le sauver.*

ANDROMAQUE

Ah ! malheureuse Andromaque ! ô ma déplorable patrie ! ô cruelles souffrances ! fallait-il devenir mère, et ajouter ce double fardeau au poids de mes infortunes ? Mais pourquoi déplorer ces malheurs passés, et ne pas m'occuper de ceux qui me frappent 5 à présent ? moi qui ai vu le corps sanglant d'Hector traîné à un char[3], Ilion[4] devenue la proie des flammes, moi-même réduite à

1. **Imprécations** : malédictions, souhaits de malheur.
2. **Néoptolème** :autre nom de Pyrrhus.
3. Hector est vaincu par Achille, qui traîne son corps derrière son char.
4. **Ilion** : autre nom de Troie.

l'esclavage, et traînée par les cheveux dans les vaisseaux des Grecs ; et à peine arrivée à Phthie[1], contrainte d'épouser le meurtrier d'Hector[2]. En quoi donc la vie peut-elle me plaire ? Où tourner 10 mes regards ? sur ma fortune présente, ou sur ma fortune passée ? Il me restait un fils, l'œil de ma vie : ils vont le tuer, pour satisfaire leur caprice. Non, je ne sauverai pas ma vie misérable aux dépens de la sienne : le seul espoir qui me reste est de le conserver : ce serait une honte à moi de ne pas mourir pour mon fils. Venez, je 15 quitte cet autel, je me livre à vous, frappez, égorgez, chargez-moi de chaînes, livrez-moi au dernier supplice. Ta mère, ô mon fils, descend dans le tombeau pour racheter tes jours. Si tu échappes à la mort, souviens-toi de ta mère et de ses souffrances ; et en recevant les baisers de ton père, dis-lui, en versant des larmes et en 20 l'entourant de tes bras, dis-lui ce que j'ai fait pour toi. Oui, nos enfants sont notre vie : celui qui me blâme, parce qu'il ne fut jamais père, a sans doute moins de souffrances ; mais son bonheur n'est qu'un malheur.

Texte 3

TRAGÉDIE

SÉNÈQUE ♦ *Médée* (Ier siècle apr. J.-C.), traduction M. E. Gresmou, 1863.

Médée, héroïne de la tragédie du dramaturge latin Sénèque (4 av. J.-C.-65 apr. J.-C.), est l'image de la furieuse qui a transgressé les règles les plus fondamentales de l'humanité. Après avoir aidé Jason, dont elle est amoureuse, à conquérir la Toison d'or, elle se réfugie avec lui à Corinthe. C'est là que Jason décide d'épouser Créüse, fille de Créon, roi de Corinthe, et de répudier Médée, la magicienne. La vengeance de celle-ci, mère des deux fils de Jason, est terrible.

1. **Phthie** : ancienne région de la Grèce antique, royaume d'Achille.
2. Andromaque a dû épouser Néoptolème, le fils d'Achille.

JASON. – Au nom de tous les dieux, au nom de nos fuites communes, au nom de cet hymen dont je n'ai pas volontairement brisé les nœuds, épargne cet enfant. Si quelqu'un est coupable, c'est moi : tue-moi donc, et que le châtiment tombe
5 sur ma tête criminelle.

MÉDÉE. – Non, je veux frapper à l'endroit douloureux, à l'endroit que tu veux dérober à mes coups. Va, maintenant, chercher la couche des vierges, en désertant celle des femmes que tu as rendues mères.

10 JASON. – Mais un seul doit suffire à ta vengeance.

MÉDÉE. – Si j'avais pu me contenter d'une seule victime, je n'en aurais immolé[1] aucune. Mais c'est même trop peu de deux pour apaiser l'ardeur de ma colère. Je vais fouiller mon sein pour voir s'il ne renferme pas quelque autre gage de notre
15 hymen[2], et le fer l'arrachera de mes entrailles.

JASON. – Achève et comble la mesure de tes crimes, je ne te fais plus de prières ; seulement ne prolonge pas davantage la durée de mon supplice.

MÉDÉE. – Jouis lentement de ton crime, ô ma colère, ne te presse
20 pas : ce jour est à moi, je dois profiter du temps qu'on m'a laissé.

JASON. – Mais ôte-moi la vie, cruelle !

MÉDÉE. – Tu implores ma pitié ! C'est bien, mon triomphe est complet : je n'ai plus rien à te sacrifier, ô ma vengeance. Ingrat
25 époux, lève tes yeux pleins de larmes : reconnais-tu Médée ? Voilà comme j'ai coutume de fuir : un chemin s'ouvre pour moi à travers le ciel ; deux serpents ailés se courbent sous mon joug[3] et s'attèlent à mon char. Tiens, reçois tes enfants, et moi je m'envole à travers les airs.

---

1. Immolé : sacrifié.

2. Hymen : mariage.

3. Joug : pièce de bois que l'on met sur la tête d'un animal (généralement un bœuf) pour l'atteler.

30 JASON. – Oui, lance-toi dans les hautes régions de l'espace, et proclame partout, sur ton passage, qu'il n'y a point de dieux.

Les héroïnes humanistes ou l'expression spectaculaire des passions

Les tragédies humanistes présentent de nombreuses furieuses, inspirées de l'Antiquité : Médée, la magicienne, ou Didon, la reine de Carthage. La fureur féminine est essentielle à une dramaturgie fondée sur le pathétique et indispensable à la mise en scène spectaculaire de la passion.

Texte 4

TRAGÉDIE

ROBERT GARNIER ♦ *Hippolyte* (1573), acte V (orthographe modernisée).

*Le personnage de Phèdre a inspiré de nombreux dramaturges, dont Euripide, Sénèque et bien sûr Racine. L'extrait suivant est tiré du dénouement d'*Hippolyte*, tragédie de Robert Garnier (1545-1590). Phèdre, amoureuse d'Hippolyte, le fils de Thésée, son époux, a menti : elle a fait croire à Thésée qu'Hippolyte avait voulu la violenter. Thésée maudit son fils, provoquant ainsi sa perte. Phèdre avoue son crime à Thésée.*

PHÈDRE, THÉSÉE

PHÈDRE

Ô moi pire cent fois que ce Monstre mon frère
Ce monstre Homme-taureau déshonneur de ma mère[1] !
Thésée s'en peut garder, mais de mon cœur malin[2]
Vous n'avez, Hippolyte, évité le venin.

1. Phèdre est la fille de Minos et de Pasiphaé. Cette dernière tomba amoureuse d'un taureau. De son union avec l'animal naquit le Minotaure, monstre mi-homme, mi-taureau.
2. **Malin** : méchant, pervers.

5 Les bêtes des forêts, tant fussent-elles fières[1],
Les Sangliers, les Lions, les Ourses montagnères[2]
N'ont pu vous offenser, et moi, d'un parler feint[3]
Irritant votre père, ai votre jour éteint.
[...]
Or sus[4] flambante épée, or sus apprête-toi,
10 Fidèle à ton seigneur de te venger de moi :
Plonge-toi, trempe-toi jusqu'à la pommelle[5]
Dans mon sang, le repas de mon âme bourrelle[6].
Mon cœur, que[7] trembles-tu ? Quelle soudaine horreur,
Quelle horreur frissonnant alentit ta fureur ?
15 Quelle affreuse Mégère[8] à mes yeux se présente ?
Quels serpents encordés, quelle torche flambante ?
Quelle rive écumeuse, et quel fleuve grondant,
Quelle rouge fournaise horriblement ardant[9] ?
Ha ce sont les Enfers, ce les sont, ils m'attendent,
20 Et pour me recevoir leurs cavernes ils fendent.
Adieu Soleil[10] luisant, Soleil luisant adieu,
Adieu triste Thésée, adieu funèbre lieu :
Il est temps de mourir, sus, que mon sang ondoie
Sur ce corps trépassé, courant d'une grand'plaie.

1. **Fières** : cruelles.
2. **Montagnères** : des montagnes.
3. **Feint** : mensonger.
4. **Sus** : formule d'encouragement (allons !).
5. **Pomelle** : pommeau.
6. **Bourrelle** : torture, fait souffrir (du verbe *bourreler*).
7. **Que** : pourquoi.
8. **Mégère** : l'une des trois Érinyes, dans la mythologie grecque. Elle est chargée de punir les auteurs de crimes.
9. **Ardant** : brûlant.
10. Phèdre a des liens familiaux avec le Soleil. Pasiphaé, sa mère, est la fille d'Hélios, incarnation du Soleil.

Texte 5

TRAGÉDIE

WILLIAM SHAKESPEARE ♦ *Roméo et Juliette* (entre 1593 et 1594), acte IV, scène 3, traduction François-Victor Hugo, 1865.

Shakespeare (1564-1616) écrit, avec Roméo et Juliette, *l'une des plus célèbres histoires d'amour tragique. Les deux amants, issus de familles ennemies, ne peuvent s'aimer librement. Frère Laurence accepte néanmoins de les marier et de donner à Juliette un poison qui la fera passer pour morte. C'est Roméo, prévenu, qui devra la faire sortir du caveau. Au moment de boire le contenu de la fiole, Juliette exprime sa peur.*

JULIETTE. – Adieu !... Dieu sait quand nous nous reverrons. Une vague frayeur répand le frisson dans mes veines et y glace presque la chaleur vitale… Je vais les rappeler pour me rassurer. Nourrice !... qu'a-t-elle à faire ici ? Il faut que je joue seule mon horrible
5 scène. (*Prenant la fiole que Laurence lui a donnée.*) À moi, fiole !... Eh quoi ! si ce breuvage n'agissait pas ! serais-je donc mariée demain matin ?... Non, non. Voici qui l'empêcherait… Repose ici, toi. (*Elle met un couteau à côté de son lit.*) Et si c'était un poison que le moine m'eût subtilement administré pour me faire mourir afin de
10 ne pas être déshonorée par ce mariage, lui qui m'a déjà mariée à Roméo ? J'ai peur de cela ; mais non, c'est impossible : il a toujours été reconnu pour un saint homme… Et si, une fois déposée dans le tombeau, je m'éveillais avant le moment où Roméo doit venir me délivrer ! Ah ! l'effroyable chose ! Ne pourrais-je pas être
15 étouffée dans ce caveau dont la bouche hideuse n'aspire jamais un air pur et mourir suffoquée avant que Roméo n'arrive ? Ou même, si je vis, n'est-il pas probable que l'horrible impression de la mort et de la nuit jointe à la terreur du lieu… En effet ce caveau est l'ancien réceptacle où depuis bien des siècles sont entassés les os de
20 tous mes ancêtres ensevelis ; où Tybalt[1] sanglant et encore tout

1. Tybalt, cousin de Juliette, a été tué par Roméo, pour venger la mort de son ami Mercutio.

frais dans la terre pourrit sous son linceul[1] ; où, dit-on, à certaines heures de la nuit, les esprits s'assemblent ! Hélas ! hélas ! n'est-il pas probable que, réveillée avant l'heure, au milieu d'exhalaisons[2] infectes et de gémissements pareils à ces cris de mandragores[3]
25 déracinées que des vivants ne peuvent entendre sans devenir fous... Oh ! si je m'éveille ainsi, est-ce que je ne perdrai pas la raison, environnée de toutes ces horreurs ? Peut-être alors, insensée, voudrai-je jouer avec les squelettes de mes ancêtres, arracher de son linceul Tybalt mutilé, et, dans ce délire, saisissant
30 l'os de quelque grand-parent comme une massue, en broyer ma cervelle désespérée ! Oh ! tenez ! il me semble voir le spectre[4] de mon cousin poursuivant Roméo qui lui a troué le corps avec la pointe de son épée... Arrête, Tybalt, arrête ! (*Elle porte la fiole à ses lèvres.*) Roméo ! Roméo ! Roméo ! voici à boire ! je bois à toi. (*Elle*
35 *se jette sur son lit derrière un rideau.*)

Le théâtre classique : une exigence de maîtrise des passions

Avec le classicisme apparaît un théâtre plus réglé que celui du XVIe siècle. La violence n'a plus sa place sur scène. Des récits permettent d'en rendre compte, d'une matière maîtrisée. Il s'agit de montrer les conséquences néfastes des passions, sans succomber à la fascination qu'elles peuvent inspirer.

Les héroïnes cornéliennes : le souci de la gloire

Corneille présente des héroïnes qui, comme les hommes, ont le souci de la gloire, c'est-à-dire du dépassement de soi. Un

1. Linceul : drap qui enveloppe les morts.
2. Exhalaisons : odeurs nauséabondes.
3. Mandragores : plantes aux formes censées être humaines, dont les pouvoirs sont réputés magiques.
4. Spectre : fantôme.

certain orgueil caractérise ces femmes, qui trouvent aussi la force de résister au pouvoir des hommes.

Texte 6

TRAGI-COMÉDIE

PIERRE CORNEILLE ♦ ***Le Cid*** (1636), acte III, scène 4.

Le Cid, tragi-comédie de Corneille (1606-1684), met en scène des personnages déchirés par un profond dilemme. Rodrigue est partagé entre son amour pour Chimène et son devoir, qui lui impose de venger l'honneur de son père, bafoué par le père de celle qu'il aime. En faisant le choix du devoir, il montre la voie à Chimène : pour être digne de lui, elle doit refuser de s'abandonner à ses sentiments amoureux.

Chimène

Ah ! Rodrigue, il est vrai, quoique ton ennemie,
Je ne te puis blâmer d'avoir fui l'infamie[1] ;
Et de quelque façon qu'éclatent mes douleurs,
Je ne t'accuse point, je pleure mes malheurs.
5 Je sais ce que l'honneur, après un tel outrage,
Demandait à l'ardeur d'un généreux courage :
Tu n'as fait le devoir que d'un homme de bien ;
Mais aussi, le faisant, tu m'as appris le mien.
Ta funeste valeur m'instruit par ta victoire ;
10 Elle a vengé ton père et soutenu ta gloire :
Même soin me regarde, et j'ai, pour m'affliger,
Ma gloire à soutenir, et mon père à venger.
Hélas ! ton intérêt ici[2] me désespère :
Si quelque autre malheur m'avait ravi mon père,
15 Mon âme aurait trouvé dans le bien de te voir
L'unique allégement qu'elle eût pu recevoir ;
Et contre ma douleur j'aurais senti des charmes,

1. Infamie : déshonneur.

2. Ton intérêt ici : le fait que tu sois responsable de la mort de mon père.

Quand une main si chère eût essuyé mes larmes.
Mais il me faut te perdre après l'[1]avoir perdu ;
20 Cet effort sur ma flamme[2] à mon honneur est dû ;
Et cet affreux devoir, dont l'ordre m'assassine,
Me force à travailler moi-même à ta ruine.
Car enfin n'attends pas de mon affection
De lâches sentiments pour ta punition.
25 De quoi qu'en ta faveur notre amour m'entretienne,
Ma générosité[3] doit répondre à la tienne :
Tu t'es, en m'offensant, montré digne de moi ;
Je me dois, par ta mort, montrer digne de toi.

Texte 7

TRAGÉDIE

PIERRE CORNEILLE ♦ Horace (1640), acte IV, scène 5.

Au VIIe siècle avant J.-C., sous le règne du légendaire Tullus Hostilius, Rome et Albe-la-Longue sont en guerre. Afin d'éviter des morts, les deux villes désignent chacune trois champions pour s'affronter : Horace et ses frères, pour Rome, Curiace et ses frères, pour Albe. Mais Horace est marié à Sabine, la sœur de Curiace, qui est lui-même fiancé à Camille, la sœur d'Horace. Ce dernier donne finalement la victoire à Rome. Il doit affronter la colère extrême de Camille, qui s'oppose avec orgueil à son pouvoir : elle ne peut accepter de sacrifier ses sentiments au nom de la raison d'État.

HORACE, CAMILLE, PROCULE[4]

CAMILLE

Donne-moi donc, barbare, un cœur comme le tien ;
Et si tu veux enfin que je t'ouvre mon âme,

1. *L'* renvoie au père de Chimène.
2. **Flamme** : sentiment amoureux.
3. **Générosité** : grandeur d'âme.
4. Procule est un soldat romain. Il porte « les trois épées des Curiaces ».

Rends-moi mon Curiace, ou laisse agir ma flamme :
Ma joie et mes douleurs dépendaient de son sort ;
5 Je l'adorais vivant, et je le pleure mort.
Ne cherche plus ta sœur où tu l'avais laissée ;
Tu ne revois en moi qu'une amante offensée,
Qui comme une furie[1] attachée à tes pas,
Te veut incessamment reprocher son trépas[2].
10 Tigre altéré de sang, qui me défends les larmes,
Qui veux que dans sa mort je trouve encor des charmes,
Et que, jusques au ciel élevant tes exploits,
Moi-même je le tue une seconde fois !
Puissent tant de malheurs accompagner ta vie,
15 Que tu tombes au point de me porter envie ;
Et toi, bientôt souiller par quelque lâcheté
Cette gloire si chère à ta brutalité !

HORACE

Ô ciel ! Qui vit jamais une pareille rage !
Crois-tu donc que je sois insensible à l'outrage,
20 Que je souffre en mon sang ce mortel déshonneur ?
Aime, aime cette mort qui fait notre bonheur,
Et préfère du moins au souvenir d'un homme
Ce que doit ta naissance aux intérêts de Rome.

CAMILLE

Rome, l'unique objet de mon ressentiment[3] !
25 Rome, à qui vient ton bras d'immoler[4] mon amant !
Rome qui t'a vu naître, et que ton cœur adore !
Rome enfin que je hais parce qu'elle t'honore !
Puissent tous ses voisins ensemble conjurés

1. **Furie** : divinité de la vengeance.
2. **Trépas** : mort.
3. **Ressentiment** : rancune.
4. **Immoler** : sacrifier.

Saper ses fondements encor mal assurés !
30 Et si ce n'est assez de toute l'Italie,
Que l'Orient contre elle à l'Occident s'allie ;
Que cent peuples unis des bouts de l'univers
Passent pour la détruire et les monts et les mers !
Qu'elle-même sur soi renverse ses murailles,
35 Et de ses propres mains déchire ses entrailles !
Que le courroux[1] du ciel allumé par mes vœux
Fasse pleuvoir sur elle un déluge de feux !
Puissé-je[2] de mes yeux y voir tomber ce foudre[3],
Voir ses maisons en cendre, et tes lauriers en poudre[4],
40 Voir le dernier Romain à son dernier soupir,
Moi seule en être cause, et mourir de plaisir !

HORACE, *mettant la main à l'épée, et poursuivant sa sœur qui s'enfuit.*
C'est trop, ma patience à la raison fait place ;
Va dedans les enfers plaindre ton Curiace.

CAMILLE, *blessée derrière le théâtre.*
Ah ! traître !

HORACE, *revenant sur le théâtre.*
Ainsi reçoive un châtiment soudain
45 Quiconque ose pleurer un ennemi romain !

Les héroïnes raciniennes : la puissance des passions

Les personnages de Racine (1639-1699) sont prisonniers de leurs passions, qui les entraînent inexorablement à leur perte. Toute résistance est vaine. C'est pourquoi Racine considère que l'héroïne tragique, à l'image de Phèdre, n'est « ni tout à fait coupable, ni tout

1. **Courroux** : colère.
2. **Puissé-je** : forme de subjonctif du verbe *pouvoir*, qui exprime le souhait (« Si seulement je pouvais, de mes yeux… »).
3. **Foudre** (nom masculin) : symbole du pouvoir de Jupiter.
4. **Poudre** : poussière.

à fait innocente » et que « son crime est plutôt une punition des dieux qu'un mouvement de sa volonté » (*Phèdre*, préface, 1677).

Texte 8

TRAGÉDIE

JEAN RACINE ♦ *Iphigénie* (1674), acte IV, scène 4.

La flotte des Grecs ne pouvant mener son expédition guerrière contre les Troyens à cause de vents contraires, Agamemnon accepte que sa fille Iphigénie soit sacrifiée aux dieux. Il la fait venir en lui promettant de la marier avec Achille, l'homme qu'elle aime. Iphigénie et sa mère, Clytemnestre, sont dupes de cette ruse. Lorsqu'elle apprend la vérité, Iphigénie tente d'adoucir les sentiments de son père. Elle se dit néanmoins prête à mourir.

IPHIGÉNIE

Mon père,

Cessez de vous troubler, vous n'êtes point trahi.
Quand vous commanderez, vous serez obéi.
Ma vie est votre bien[1] ; vous voulez le reprendre :
5 Vos ordres sans détour pouvaient se faire entendre.
D'un œil aussi content, d'un cœur aussi soumis
Que j'acceptais l'époux que vous m'aviez promis,
Je saurai, s'il le faut, victime obéissante,
Tendre au fer[2] de Calchas[3] une tête innocente,
10 Et respectant le coup par vous-même ordonné,
Vous rendre tout le sang que vous m'avez donné.
Si pourtant ce respect, si cette obéissance
Paraît digne à vos yeux d'une autre récompense,
Si d'une mère en pleurs vous plaignez les ennuis[4],

1. Bien : propriété.

2. Fer : épée.

3. Calchas : devin qui a appris aux Grecs que les dieux ne consentiront à laisser partir leur flotte que si Iphigénie est sacrifiée.

4. Ennuis : souffrances, tourments.

15 J'ose vous dire ici qu'en l'état où je suis
Peut-être assez d'honneurs environnaient ma vie
Pour ne pas souhaiter qu'elle me fût ravie,
Ni qu'en me l'arrachant, un sévère destin,
Si près de ma naissance, en eût marqué la fin.
[...]
20 Ne craignez rien. Mon cœur, de votre honneur jaloux,
Ne fera point rougir un père tel que vous ;
Et si je n'avais eu que ma vie à défendre,
J'aurais su renfermer un souvenir si tendre.
Mais à mon triste sort, vous le savez, Seigneur,
25 Une mère, un amant, attachaient leur bonheur.
Un roi digne de vous a cru voir la journée
Qui devait éclairer notre illustre hyménée[1] ;
Déjà, sûr de mon cœur à sa flamme[2] promis,
Il s'estimait heureux ; vous me l'aviez permis.
30 Il sait votre dessein[3] ; jugez de ses alarmes.
Ma mère est devant vous, et vous voyez ses larmes.
Pardonnez aux efforts que je viens de tenter
Pour prévenir les pleurs que je leur vais coûter.

Texte 9

TRAGÉDIE

JEAN RACINE ♦ *Phèdre* (1677), scène dernière.

Phèdre est généralement considérée comme l'héroïne tragique par excellence. Pour Racine, c'est une femme dont l'amour est illégitime. Mais c'est surtout une femme qui souffre, parce qu'elle est impuissante à faire taire ses sentiments. Consciente de son crime, elle fait le choix de tout avouer à Thésée, son époux, avant de se suicider.

---

1. Hyménée : mariage.
2. Flamme : sentiment amoureux.
3. Dessein : projet, intention.

PHÈDRE

Les moments me sont chers, écoutez-moi, Thésée,
C'est moi qui sur ce fils chaste et respectueux
Osai jeter un œil profane[1], incestueux.
Le ciel mit dans mon sein une flamme funeste;
5 La détestable Œnone[2] a conduit tout le reste.
Elle a craint qu'Hippolyte, instruit de ma fureur,
Ne découvrît[3] un feu[4] qui lui faisait horreur.
La perfide[5], abusant de ma faiblesse extrême,
S'est hâtée à vos yeux de l'accuser lui-même.
10 Elle s'en est punie, et fuyant mon courroux[6],
A cherché dans les flots un supplice trop doux.
Le fer[7] aurait déjà tranché ma destinée;
Mais je laissais gémir la vertu soupçonnée.
J'ai voulu, devant vous exposant mes remords,
15 Par un chemin plus lent descendre chez les morts.
J'ai pris, j'ai fait couler dans mes brûlantes veines
Un poison que Médée[8] apporta dans Athènes.
Déjà jusqu'à mon cœur le venin parvenu
Dans ce cœur expirant jette un froid inconnu,
20 Déjà je ne vois plus qu'à travers un nuage
Et le ciel et l'époux que ma présence outrage;
Et la mort, à mes yeux dérobant la clarté,
Rend au jour qu'ils souillaient toute sa pureté.

---

1. **Profane** : qui n'est pas sacré, impur.
2. Phèdre fait porter à Œnone, sa nourrice et sa confidente, une partie de la responsabilité de son crime.
3. **Découvrît** : révélât.
4. **Feu** : sentiment amoureux.
5. **Perfide** : traîtresse.
6. **Courroux** : colère.
7. **Fer** : épée.
8. **Médée** : célèbre magicienne de la mythologie grecque.

PANOPE[1]

Elle expire, Seigneur.

THÉSÉE

D'une action si noire

25 Que ne peut avec elle expirer la mémoire !

■ De la tragédie au drame : XVIIIe et XIXe siècles

Beaumarchais, au XVIIIe siècle, définit le « genre dramatique sérieux ». Cette première mise à distance de la tragédie classique est approfondie par Hugo, qui définit le drame romantique dans la préface de *Cromwell* (1827). Les héroïnes sont inspirées de l'Histoire, et non de la mythologie, et elles sont à la fois grotesques et sublimes. Le drame ne proscrit plus le mélange des registres.

Texte 10

DRAME MORAL

BEAUMARCHAIS ♦ *La Mère coupable* (1792), acte IV, scènes 17 et 18.

La Mère coupable *est le troisième et dernier volet de la trilogie de Beaumarchais (1732-1799), qui commence avec* Le Barbier de Séville *(1775) et se poursuit avec* Le Mariage de Figaro *(1784). On y retrouve le Comte et la Comtesse. Leur fils Léon n'est pas l'enfant biologique du Comte. Lorsqu'il l'apprend, ce dernier a des mots très durs pour la Comtesse, qui s'évanouit. Lorsqu'elle revient à elle, elle n'envisage qu'une issue tragique à son adultère : la mort.*

1. Panope est une femme de la suite de Phèdre.

Scène 17

LE COMTE, LÉON, LA COMTESSE, *évanouie*, SUZANNE.

LÉON, *lui tenant le flacon sous le nez.* – Si l'on pouvait la faire respirer ! Ô Dieu ! rends-moi ma malheureuse mère !... La voici qui revient...

SUZANNE, *pleurant.* – Madame ! allons, Madame !...

5 LA COMTESSE, *revenant à elle.* – Ah ! qu'on a de peine à mourir !

LÉON, égaré. – Non, Maman ; vous ne mourrez pas !

LA COMTESSE, *égarée.* – Ô Ciel ! entre mes juges ! entre mon époux et mon fils ! Tout est connu... et criminelle envers tous deux... (*Elle se jette à terre et se prosterne.*) Vengez-vous l'un et l'autre ! il

10 n'est plus de pardon pour moi ! (*Avec horreur.*) Mère coupable ! épouse indigne ! un instant nous a tous perdus. J'ai mis l'horreur dans ma famille ! J'allumai la guerre intestine entre le père et les enfants ! Ciel juste ! il fallait bien que ce crime fût découvert ! Puisse ma mort expier mon forfait !

15 LE COMTE, *au désespoir.* – Non, revenez à vous ! votre douleur a déchiré mon âme ! Asseyons-la, Léon !... Mon fils ! (*Léon fait un grand mouvement.*) Suzanne, asseyons-la.

(*Ils la remettent sur le fauteuil.*)

Scène 18

Les précédents, FIGARO.

FIGARO, *accourant.* – Elle a repris sa connaissance ?

SUZANNE. – Ah, Dieu ! j'étouffe aussi. (*Elle se desserre.*)

LE COMTE *crie.* – Figaro ! vos secours !

FIGARO, *étouffé.* – Un moment, calmez-vous. Son état n'est plus si

5 pressant. Moi qui étais dehors, grand Dieu ! je suis rentré bien à propos !...Elle m'avait fort effrayé ! Allons, Madame, du courage !

LA COMTESSE, *priant, renversée.* – Dieu de bonté ! fais que je meure !

Texte 11

DRAME

VICTOR HUGO ♦ *Hernani* (1830), acte V, scène 6.

Hernani est un noble banni, dont le père a été victime du père de Don Carlos, le roi. Il aime doña Sol et il en est aimé. Mais cette dernière est fiancée à don Ruy Gomès, son oncle. Hernani, après avoir comploté contre le roi pour venger son père, obtient de lui la clémence et l'autorisation d'épouser doña Sol. Cependant don Ruy Gomès vient exiger d'Hernani le respect de son serment (le proscrit a promis de lui donner sa vie) et lui présente le poison. Mais doña Sol boit la première une partie de la fiole. C'est librement qu'elle fait le choix du sacrifice. Elle tend ensuite la fiole à Hernani. La nuit de noces des amants est en même temps celle de leur mort.

HERNANI

Hélas ! Qu'as-tu fait, malheureuse ?

DOÑA SOL

C'est toi qui l'as voulu.

HERNANI

C'est une mort affreuse !...

DOÑA SOL

Non. Pourquoi donc ?

HERNANI

5 Ce philtre[1] au sépulcre conduit.

DOÑA SOL

Devions-nous pas[2] dormir ensemble cette nuit ?
Qu'importe dans quel lit ?

HERNANI

Mon père, tu te venges

1. **Philtre** : poison.
2. **Devions-nous pas** : suppression poétique du *ne*.

Sur moi qui t'oubliais !

(Il porte la fiole à sa bouche.)

DOÑA SOL, *se jetant sur lui*

Ciel ! Des douleurs étranges !...

Ah ! Jette loin de toi ce philtre !... Ma raison

10 S'égare. Arrête ! Hélas ! Mon don Juan ! Ce poison

Est vivant ! ce poison dans le cœur fait éclore

Une hydre[1] à mille dents qui ronge et qui dévore !

Oh ! Je ne savais pas qu'on souffrît à ce point !

Qu'est-ce donc que cela ? c'est du feu ! ne bois point !

15 Oh ! Tu souffrirais trop !

HERNANI, à don Ruy

Ah ! Ton âme est cruelle !

Pouvais-tu pas[2] choisir d'autre poison pour elle ?

(Il boit et jette la fiole.)

DOÑA SOL

Que fais-tu ?

HERNANI

20 Qu'as-tu fait ?

DOÑA SOL

Viens, ô mon jeune amant,

Dans mes bras.

(Ils s'asseyent l'un près de l'autre.)

N'est-ce pas qu'on souffre horriblement ?

HERNANI

Non.

25

1. Hydre : monstre à plusieurs têtes.

2. Pouvais-tu pas : voir note 2, p. 131.

Doña Sol

Voilà notre nuit de noce commencée !
Je suis bien pâle, dis, pour une fiancée ?

Hernani

Ah !

Don Ruy Gomez

La fatalité s'accomplit.

Hernani

Désespoir !

30 Ô tourment ! doña Sol souffrir, et moi le voir !

Doña Sol

Calme-toi. Je suis mieux. – Vers des clartés nouvelles
Nous allons tout à l'heure ensemble ouvrir nos ailes.
Partons d'un vol égal vers un monde meilleur.
Un baiser seulement, un baiser !

(Ils s'embrassent.)

Don Ruy Gomez

35 Ô douleur !

Hernani, *d'une voix affaiblie*

Oh ! béni soit le ciel qui m'a fait une vie
D'abîmes entourée et de spectres suivie,
Mais qui permet que, las d'un si rude chemin,
Je puisse m'endormir ma bouche sur ta main !

Don Ruy Gomez

40 Qu'ils sont heureux !

Hernani, *d'une voix de plus en plus faible*

Viens, viens… doña Sol… tout est sombre.
Souffres-tu ?

DOÑA SOL, *d'une voix également éteinte*

Rien, plus rien.

HERNANI

Vois-tu des feux dans l'ombre ?

DOÑA SOL

45 Pas encor.

HERNANI, *avec un soupir*

Voici...

(Il tombe.)

DON RUY GOMEZ, *soulevant sa tête qui retombe*

Mort !

DOÑA SOL, *échevelée et se dressant à demi sur son séant*

Mort ! Non pas !... nous dormons.

Il dort ! C'est mon époux, vois-tu, nous nous aimons,

50 Nous sommes couchés là. C'est notre nuit de noce...

(D'une voix qui s'éteint.)

Ne le réveillez pas, seigneur duc de Mendoce[1] !...

Il est las.

(Elle retourne la figure d'Hernani.)

Mon amour, tiens-toi vers moi tourné...

Plus près... plus près encor...

(Elle retombe.)

DON RUY GOMEZ

55 Morte ! – Oh ! Je suis damné.

(Il se tue.)

1. Don Ruy Gomès est duc de Mendoce.

Texte 12

COMÉDIE

ALFRED DE MUSSET ♦ *On ne badine pas avec l'amour* (1834, date de publication), acte III, scène 8.

L'inspiration de la pièce de Musset n'étant pas historique, elle n'appartient pas vraiment au genre du drame, mais elle n'en mêle pas moins les registres : c'est une comédie qui se termine de manière tragique. Camille et Perdican sont promis l'un à l'autre. Camille repousse Perdican, que pourtant elle aime. Pour susciter sa jalousie, Perdican séduit Rosette, une paysanne. Le procédé est efficace, mais cruel. Dans ce dénouement, Rosette, la fragile jeune fille, n'est pas une furieuse. Elle se cache et se tait. Elle n'en est pas moins sacrifiée. Pour Camille aussi, le jeu a une issue tragique : elle n'a plus d'autre choix que de renoncer à l'amour.

Acte III, scène 8

Un oratoire[1].

Entre Camille ; elle se jette au pied de l'autel[2].

[...]

CAMILLE. – Qui m'a suivie ? Qui parle sous cette voûte ? Est-ce toi, Perdican ?

PERDICAN. – Insensés que nous sommes ! nous nous aimons. Quel songe avons-nous fait, Camille ? Quelles vaines paroles, quelles
5 misérables folies ont passé comme un vent funeste entre nous deux ? Lequel de nous a voulu tromper l'autre ? Hélas ! cette vie est elle-même un si pénible rêve : pourquoi encore y mêler les nôtres ? Ô mon Dieu ! le bonheur est une perle si rare dans cet océan d'ici-bas ! Tu nous l'avais donné, pêcheur céleste, tu
10 l'avais tiré pour nous des profondeurs de l'abîme, cet inesti-

1. Oratoire : petite chapelle, lieu de prière.

2. Autel : table sur laquelle on célèbre la messe.

mable joyau ; et nous, comme des enfants gâtés que nous sommes, nous en avons fait un jouet. Le vert sentier qui nous amenait l'un vers l'autre avait une pente si douce, il était entouré de buissons si fleuris, il se perdait dans un si tranquille
15 horizon ! Il a bien fallu que la vanité, le bavardage et la colère vinssent jeter leurs rochers informes sur cette route céleste, qui nous aurait conduits à toi dans un baiser ! Il a bien fallu que nous nous fissions du mal, car nous sommes des hommes. Ô insensés ! nous nous aimons.

Il la prend dans ses bras.

20 CAMILLE. – Oui, nous nous aimons, Perdican ; laisse-moi le sentir sur ton cœur. Ce Dieu qui nous regarde ne s'en offensera pas ; il veut bien que je t'aime ; il y a quinze ans qu'il le sait.

PERDICAN. – Chère créature, tu es à moi !

Il l'embrasse ; on entend un grand cri derrière l'autel.

CAMILLE. – C'est la voix de ma sœur de lait.

25 PERDICAN. – Comment est-elle ici ? je l'avais laissée dans l'escalier, lorsque tu m'as fait rappeler. Il faut donc qu'elle m'ait suivi sans que je m'en sois aperçu.

CAMILLE. – Entrons dans cette galerie ; c'est là qu'on a crié.

PERDICAN. – Je ne sais ce que j'éprouve ; il me semble que mes
30 mains sont couvertes de sang.

CAMILLE. – La pauvre enfant nous a sans doute épiés ; elle s'est encore évanouie ; viens, portons-lui secours ; hélas ! tout cela est cruel.

PERDICAN. – Non, en vérité, je n'entrerai pas ; je sens un froid
35 mortel qui me paralyse. Vas-y, Camille, et tâche de la ramener. (*Camille sort.*) Je vous en supplie, mon Dieu ! ne faites pas de moi un meurtrier ! Vous voyez ce qui se passe ; nous sommes deux enfants insensés, et nous avons joué avec la vie et la mort ; mais notre cœur est pur ; ne tuez pas Rosette, Dieu juste ! Je
40 lui trouverai un mari, je réparerai ma faute ; elle est jeune, elle sera riche, elle sera heureuse ; ne faites pas cela, ô Dieu ! vous

pouvez bénir encore quatre de vos enfants. Eh bien ! Camille, qu'y a-t-il ?

Camille rentre.

CAMILLE. – Elle est morte. Adieu, Perdican !

Le théâtre contemporain ou le retour de la mythologie et du tragique

Le théâtre contemporain fait à nouveau appel au mythe. Giraudoux et Anouilh, par exemple, sont des auteurs qui redonnent une actualité aux personnages d'Électre et d'Antigone, par exemple. Le théâtre de l'après-guerre met en évidence une autre forme de tragique, qui repose sur la prise de conscience de l'absurdité de l'histoire individuelle aussi bien que collective.

Texte 13

TRAGÉDIE

JEAN GIRAUDOUX ♦ *La guerre de Troie n'aura pas lieu* (1935), acte II, scène 8. © Éditions Grasset, 1967.

En 1935, la guerre menace l'Europe. Giraudoux choisit de transposer cette menace dans un contexte antique. Cassandre, la prophétesse, a prédit que la guerre de Troie aurait lieu. Andromaque, qui tente d'éviter ce désastre, demande à Hélène d'aimer Pâris, le Troyen qui l'a enlevée. Les Grecs viennent en effet à Troie pour se venger de cet enlèvement. L'amour entre Hélène et Pâris pourrait au moins donner du sens à une guerre qui, sinon, sombrerait dans l'absurde. La lutte d'Andromaque pour la paix semble toutefois condamnée d'avance.

ANDROMAQUE. – Je ne sais pas si les dieux veulent quelque chose. Mais l'univers veut quelque chose. Depuis ce matin, tout me semble le réclamer, le crier, l'exiger, les hommes, les bêtes, les plantes... Jusqu'à cet enfant en moi[1]...

1. L'enfant est Astyanax.

5 HÉLÈNE. – Ils réclament quoi ?

ANDROMAQUE. – Que vous aimiez Pâris.

[...]

HÉLÈNE. – Et la guerre n'aurait pas lieu !

ANDROMAQUE. – Peut-être, en effet, n'aurait-elle pas lieu ! Peut-être, si vous vous aimiez, l'amour appellerait-il à son secours 10 l'un de ses égaux, la générosité, l'intelligence... Personne, même le destin, ne s'attaque d'un cœur léger à la passion... Et même si elle avait lieu, tant pis !

HÉLÈNE. – Ce ne serait sans doute pas la même guerre ?

ANDROMAQUE. – Oh ! non, Hélène ! Vous sentez bien ce qu'elle sera, 15 cette lutte. Le sort ne prend pas tant de précautions pour un combat vulgaire. Il veut construire l'avenir sur elle, l'avenir de nos races[1], de nos peuples, de nos raisonnements. Et que nos idées et que notre avenir soient fondés sur l'histoire d'une femme et d'un homme qui s'aimaient, ce n'est pas si mal. Mais il ne voit pas que 20 vous n'êtes qu'un couple officiel !... Penser que nous allons souffrir, mourir, pour un couple officiel, que la splendeur ou le malheur des âges, que les habitudes des cerveaux et des siècles vont se fonder sur l'aventure de deux êtres qui ne s'aimaient pas, c'est là l'horreur.

HÉLÈNE. – Si tous croient que nous nous aimons, cela revient au 25 même.

ANDROMAQUE. – Ils ne le croient pas. Mais aucun n'avouera qu'il ne le croit pas. Aux approches de la guerre, tous les êtres sécrètent une nouvelle sueur, tous les événements revêtent un nouveau vernis, qui est le mensonge. Tous mentent. Nos vieil-30 lards n'adorent pas la beauté, ils s'adorent eux-mêmes, ils adorent la laideur. Et l'indignation des Grecs est un mensonge. Dieu sait s'ils se moquent de ce que vous pouvez faire avec Pâris, les Grecs ! Et leurs bateaux qui accostent là-bas dans les banderoles et les hymnes, c'est un mensonge de la mer. Et la

1. Races : familles.

35 vie de mon fils, et la vie d'Hector vont se jouer sur l'hypocrisie et le simulacre, c'est épouvantable !

HÉLÈNE. – Alors ?

ANDROMAQUE. – Alors je vous en supplie, Hélène. Vous me voyez là pressée contre vous comme si je vous suppliais de
40 m'aimer. Aimez Pâris ! Ou dites-moi que je me trompe ! Dites-moi que vous vous tuerez s'il mourait ! Que vous accepterez qu'on vous défigure pour qu'il vive !... Alors la guerre ne sera plus qu'un fléau, pas une injustice. J'essaierai de la supporter.

Texte 14

TRAGÉDIE

JEAN ANOUILH ♦ *Antigone* (1944). © Éditions de La Table Ronde, 1946.

Antigone *est une pièce en un acte, mise en scène pendant l'Occupation. Le personnage éponyme incarne une résistance héroïque face à Créon, son oncle et roi de Thèbes. Ce dernier interdit, sous peine de mort, que Polynice, l'un des deux frères d'Antigone, soit enseveli. La jeune femme affronte son oncle sans hésitation, car, pour elle, le respect dû au défunt l'emporte sur la raison d'État. Elle préfère se sacrifier, plutôt que d'accepter le moindre compromis.*

ANTIGONE *murmure, le regard perdu.* – Le bonheur...

CRÉON *a un peu honte soudain.* – Un pauvre mot, hein ?

ANTIGONE. – Quel sera-t-il, mon bonheur ? Quelle femme heureuse deviendra-t-elle, la petite Antigone ? Quelles
5 pauvretés faudra-t-il qu'elle fasse elle aussi, jour par jour, pour arracher avec ses dents son petit lambeau de bonheur ? Dites, à qui devra-t-elle mentir, à qui sourire, à qui se vendre ? Qui devra-t-elle laisser mourir en détournant le regard ?

CRÉON *hausse les épaules.* – Tu es folle, tais-toi.

10 ANTIGONE. – Non, je ne me tairai pas ! Je veux savoir comment je m'y prendrais, moi aussi, pour être heureuse. Tout de suite, puisque c'est tout de suite qu'il faut choisir. Vous dites que c'est si beau, la vie. Je veux savoir comment je m'y prendrai pour vivre.

CRÉON. – Tu aimes Hémon[1] ?

15 ANTIGONE. – Oui, j'aime Hémon. J'aime un Hémon dur et jeune ; un Hémon exigeant et fidèle, comme moi. Mais si votre vie, votre bonheur doivent passer sur lui avec leur usure, si Hémon ne doit plus pâlir quand je pâlis, s'il ne doit plus me croire morte quand je suis en retard de cinq minutes, s'il ne
20 doit plus se sentir seul au monde et me détester quand je ris sans qu'il sache pourquoi, s'il doit devenir près de moi le monsieur Hémon, s'il doit appendre à dire « oui », lui aussi, alors je n'aime plus Hémon.

CRÉON. – Tu ne sais plus ce que tu dis. Tais-toi.

25 ANTIGONE. – Si, je sais ce que je dis, mais c'est vous qui ne m'entendez plus. Je vous parle de trop loin maintenant, d'un royaume où vous ne pouvez plus entrer avec vos rides, votre sagesse, votre ventre. (*Elle rit.*) Ah ! je ris, Créon, je ris parce que je te vois à quinze ans, tout d'un coup ! C'est le même air
30 d'impuissance et de croire qu'on peut tout. La vie t'a seulement ajouté ces petits plis sur le visage et cette graisse autour de toi.

CRÉON *la secoue*. – Te tairas-tu, enfin ?

ANTIGONE. – Pourquoi veux-tu me faire taire ? Parce que tu sais que j'ai raison ? Tu crois que je ne lis pas dans tes yeux que tu
35 le sais ? Tu sais que j'ai raison, mais tu ne l'avoueras jamais parce que tu es en train de défendre ton bonheur en ce moment comme un os.

CRÉON. – Le tien et le mien, oui, imbécile !

ANTIGONE. – Vous me dégoûtez tous, avec votre bonheur ! Avec
40 votre vie qu'il faut aimer coûte que coûte. On dirait des chiens qui lèchent tout ce qu'ils trouvent. Et cette petite chance pour tous les jours, si on n'est pas trop exigeant. Moi, je veux tout, tout de suite – et que ce soit entier –, ou alors je refuse ! Je ne

1. Hémon est le fils de Créon et le fiancé d'Antigone. Il finit par se suicider, par amour pour elle.

veux pas être modeste, moi, et me contenter d'un petit
45 morceau si j'ai été bien sage. Je veux être sûre de tout aujourd'hui et que cela soit aussi beau que quand j'étais petite – ou mourir.

Texte 15

PIÈCE DE THÉÂTRE

JEAN GENET, *Les Bonnes* (1947), scène 6. © Éditions Gallimard.

Claire et Solange, deux bonnes, se déguisent dès que leur maîtresse s'absente. Il s'agit pour elles d'un cérémonial inquiétant et tragique. Elles jouent chacune un rôle – Claire, celui de « Madame », et Solange, celui de Claire – au point d'oublier leurs véritables identités. Genet nous décrit ainsi ses personnages, dans sa préface intitulée « Comment jouer Les Bonnes *? » : « Sacrées ou non, ces bonnes sont des monstres, comme nous-mêmes quand nous nous rêvons ceci ou cela [...]: je vais au théâtre afin de me voir, sur la scène (restitué en un seul personnage ou à l'aide d'un personnage multiple et sous forme de conte), tel que je ne saurais – ou n'oserais – me voir ou me rêver, et tel pourtant que je me sais être. »*

SOLANGE. – Silence ! Son laitier matinal, son messager de l'aube, son tocsin délicieux, son maître pâle et charmant, c'est fini. En place pour le bal.

CLAIRE. – Qu'est-ce que tu fais ?

5 SOLANGE, *solennelle*. – J'en interromps le cours. À genoux !

CLAIRE. – Tu vas trop loin !

SOLANGE. – À genoux ! puisque je sais à quoi je suis destinée.

CLAIRE. – Vous me tuez !

SOLANGE, *allant sur elle*. – Je l'espère bien. Mon désespoir me fait
10 indomptable. Je suis capable de tout. Ah ! nous étions maudites !

CLAIRE. – Tais-toi.

SOLANGE. – Vous n'aurez pas à aller jusqu'au crime.

CLAIRE. – Solange ! [...]

15 SOLANGE. – Ne bougez pas. Je vais avec vous peut-être découvrir le moyen le plus simple, et le courage, Madame, de délivrer ma sœur et du même coup me conduire à la mort.

CLAIRE. – Que vas-tu faire ? Où tout cela nous mène-t-il ?

SOLANGE, *c'est un ordre*. – Je t'en prie, Claire, réponds-moi.

20 CLAIRE. – Solange, arrêtons-nous. Je n'en peux plus. Laisse-moi.

SOLANGE. – Je continuerai, seule, seule, ma chère. Ne bougez pas. Quand vous aviez de si merveilleux moyens, il était impossible que Madame s'en échappât. (*Marchant sur Claire.*) Et cette fois, je veux en finir avec une fille aussi lâche.

25 CLAIRE. – Solange ! Solange ! Au secours !

SOLANGE. – Hurlez si vous voulez ! Poussez même votre dernier cri, Madame ! (*Elle pousse Claire qui reste accroupie dans un coin.*) Enfin ! Madame est morte ! étendue sur le linoléum[1]... étranglée par les gants de la vaisselle.

Texte 16

PIÈCE DE THÉÂTRE

SAMUEL BECKETT ♦ *Oh ! les beaux jours* (1963). © Les Éditions de Minuit.

La pièce de Beckett met en scène une femme, Winnie, enterrée dans un mamelon de terre. Son époux, Willie, est presque muet et invisible. Winnie sait seulement qu'il est présent. Le monologue de cette femme immobile est l'occasion d'un questionnement sur la solitude et le temps qui passe. Winnie cherche à combler le vide et le silence pour oublier le tragique de sa condition, tout en sachant que l'espoir n'est qu'une illusion.

Scène comme au premier acte.

Willie invisible.

Winnie enterrée jusqu'au cou, sa toque sur la tête, les yeux fermés. La tête, qu'elle ne peut plus tourner, ni lever, ni baisser, reste rigoureusement

1. **Linoléum** : revêtement de sol en matière plastique.

immobile et de face pendant toute la durée de l'acte. Seuls les yeux sont mobiles.

Sac et ombrelle à la même place qu'au début du premier acte. Revolver bien en évidence à droite de la tête.

Un temps long.

Sonnerie perçante. Elle ouvre les yeux aussitôt. La sonnerie s'arrête. Elle regarde devant elle. Un temps long.

WINNIE. – Salut, sainte lumière. (*Un temps. Elle ferme les yeux. Sonnerie perçante. Elle ouvre les yeux aussitôt. La sonnerie s'arrête. Elle regarde devant elle. Sourire. Un temps. Fin du sourire. Un temps.*) Quelqu'un me regarde encore. (*Un temps.*) Se soucie de moi encore. (*Un temps.*) Ça que je trouve si merveilleux. (*Un temps.*) Des yeux sur mes yeux. (*Un temps.*) Quel est ce vers inoubliable ? (*Un temps. Yeux à droite.*) Willie. (*Un temps. Plus fort.*) Willie. (*Un temps. Yeux de face.*) Peut-on parler encore de temps ? (*Un temps.*) Dire que ça fait un bout de temps, Willie, que je ne te vois plus. (*Un temps.*) Ne t'entends plus. (Un temps.) Peut-on ? (*Un temps.*) On le fait. (*Sourire.*) Le vieux style ! (*Fin du sourire.*) Il y a si peu dont on puisse parler. (*Un temps.*) On parle de tout. (*Un temps.*) De tout ce dont on peut. (*Un temps.*) Je pensais autrefois... (*Un temps.*)... je dis, je pensais autrefois que j'apprendrais à parler toute seule. (*Un temps.*) Je veux dire à moi-même le désert. (*Sourire.*) Mais non. (*Sourire plus large.*) Non non. (*Fin du sourire.*) Donc tu es là. (*Un temps.*) Oh tu dois être mort, oui, sans doute, comme les autres, tu as dû mourir, ou partir, en m'abandonnant, comme les autres, ça ne fait rien, tu es là. (*Un temps. Yeux à gauche.*) Le sac aussi est là, le même que toujours, je le vois. (*Yeux à droite. Plus fort.*) Le sac est là, Willie, pas une ride, celui que tu me donnas ce jour-là... pour faire mon marché. (*Un temps. Yeux de face.*) Ce jour-là. (*Un temps.*) Quel jour-là ? (*Un temps.*) Je priais autrefois. (*Un temps.*) Je dis, je priais autrefois. (*Un temps.*) Oui, j'avoue. (*Sourire.*) Plus maintenant. (*Sourire plus large.*) Non non. (*Fin du*

sourire. Un temps.) Autrefois... maintenant... comme c'est dur, pour l'esprit. (*Un temps.*) Avoir été toujours celle que je suis – et être si différente de celle que j'étais. (*Un temps.*) Je suis l'une, je
40 dis l'une, puis l'autre. (*Un temps.*) Tantôt l'une, tantôt l'autre. (*Un temps.*) Il y a si peu qu'on puisse dire. (*Un temps.*) On dit tout. (Un temps.) Tout ce qu'on peut. (*Un temps.*) Et pas un mot de vrai nulle part. (*Un temps.*) Mes bras. (*Un temps.*) Mes seins. (*Un temps.*) Quels bras ? (*Un temps.*) Quels seins ? (*Un temps.*)
45 Willie. (*Un temps.*) Quel Willie ? (Affirmative avec véhémence.) Mon Willie ! (*Yeux à droite. Appelant.*) Willie ! (*Un temps. Plus fort.*) Willie !

Jean Racine, le maître de la tragédie classique

Racine, l'enfant orphelin, né en province, n'avait que peu de chance de connaître la gloire à la cour de Louis XIV. Il doit son exceptionnelle carrière à son éducation irréprochable et à son génie littéraire, qui fait de lui l'un des plus grands dramaturges du classicisme.

UN JEUNE HOMME AMBITIEUX

1 • Une éducation rigoureuse

• Racine naît à La Ferté-Milon le **22 décembre 1639**. Après la mort de ses parents, il est recueilli par sa grand-mère, qui le fait admettre en 1649 aux **Petites Écoles de Port-Royal**, puis au collège de Beauvais. Il retourne à Port-Royal en 1655, avant de fréquenter le collège d'Harcourt, à Paris, où il apprend la philosophie.

• À Port-Royal, il bénéficie de l'enseignement des meilleurs **pédagogues jansénistes** (voir encadré) : il étudie non seulement le latin, mais aussi le grec, ce qui était inhabituel dans les collèges jésuites, ainsi que les langues étrangères. L'apprentissage du grec lui permet d'avoir une connaissance parfaite des tragédies de l'Antiquité.

Le jansénisme

Jansénius (1585-1638) est le fondateur de la doctrine janséniste, qui s'inspire de saint Augustin (354-430). Le jansénisme est réputé pour sa **rigueur morale** et opposé à la doctrine jésuite, dont est souvent dénoncé le laxisme. Pour les jansénistes, l'homme reçoit la grâce de Dieu seul, et ne peut y participer par ses œuvres, comme le pensent les jésuites. Le jansénisme, qui ne laisse que peu de place à la liberté humaine, s'accorde donc bien avec la **vision tragique de l'homme** dont les actes sont déterminés par le destin. Les jansénistes sont toutefois très hostiles au théâtre, qu'ils considèrent comme un instrument de corruption.

2 • Des débuts littéraires prometteurs

• Racine fréquente les salons parisiens, où il apprend la **galanterie** et les belles manières. Il rencontre également un certain nombre d'écrivains, dont La Fontaine. Il écrit lui-même quelques œuvres, dont **deux pièces, aujourd'hui perdues**, qu'aucune troupe ne veut représenter.

• Il prend la décision de s'engager dans une **carrière littéraire** à son retour à Paris en **1663**, après un voyage à Uzès, où il espérait obtenir un bénéfice ecclésiastique. Dans l'intention de vivre de son écriture, il écrit des **poèmes d'éloge de Louis XIV**. En récompense, il obtient du roi une pension.

• En 1664, il fait représenter ***La Thébaïde ou les Frères ennemis*, sa première tragédie**, par la **troupe de Molière**. Racine se brouille toutefois avec ce dernier au sujet d'*Alexandre* (1665) : il lui a en effet retiré la représentation de la pièce pour la confier à une troupe rivale, ce que Molière considère comme une trahison. Cette tragédie rencontre un certain succès.

3 • La polémique avec Port-Royal

• En 1666, Pierre Nicole (1625-1695), théologien d'inspiration janséniste, prend position dans la **querelle sur la moralité du théâtre**. Il considère que la représentation des passions et des vices inciterait à l'immoralité. Il affirme même qu'« un poète de théâtre est un empoisonneur public » (*Lettres sur l'Hérésie imaginaire*).

• Racine, qui se sent attaqué, répond par une lettre très violente. **En défendant le théâtre**, qui ne saurait pour lui constituer un danger pour les âmes des spectateurs, **il rompt avec ses anciens maîtres.**

UN DRAMATURGE EN PLEINE GLOIRE

1 • Le triomphe d'*Andromaque* (1667)

• Le **17 novembre 1667**, la cour applaudit pour la première fois *Andromaque*, dédiée à Henriette d'Angleterre, belle-sœur du roi et protectrice du dramaturge. **Mlle Du Parc**, comédienne de la troupe de Molière passée à l'Hôtel de Bourgogne, et maîtresse de Racine, incarne l'héroïne éponyme.

• Bien que la pièce soit l'objet de **critiques**, auxquelles Racine répond dans ses deux préfaces, et même d'une **parodie** jouée par la troupe de Molière (*La Folle Querelle ou la Critique d'Andromaque*, par Subligny, en 1668), son succès est considérable. Racine, devenu célèbre, incarne pour tous une **nouvelle génération face à Corneille (1606-1684), son rival.**

2 • Une période de grande fécondité littéraire

• Racine connaît ensuite la gloire avec la **seule comédie de sa carrière** : *Les Plaideurs* (1668), mais surtout avec ses tragédies. ***Britannicus* (1669)** et ***Bérénice* (1670)**, dont le rôle titre est joué par Mlle de Champmeslé, la maîtresse de Racine, accentuent la rivalité avec Corneille. Ce dernier avait tenté de le concurrencer en écrivant sa propre version de l'histoire de Bérénice, intitulée *Tite et Bérénice* (1670).

• L'année 1672 est celle de l'écriture de ***Bajazet*** et de son **élection à l'Académie française**. Lorsqu'il fait représenter ***Mithridate* (1673)** et ***Iphigénie* (1674)**, Racine est au faîte de sa gloire.

• **La représentation de *Phèdre*** (1677) s'accompagne de **nombreuses polémiques** : on critique l'**immoralité de l'œuvre et du personnage**. *Phèdre et Hippolyte*, une pièce rivale de Pradon (1644-1698), obtient un certain succès. Racine est très affecté par la cabale menée contre sa pièce.

3 • La reconnaissance à la cour

• Racine, qui est aussi un courtisan et un mondain, accepte en 1677 de devenir **historiographe du roi**, c'est-à-dire de rédiger l'histoire du règne de Louis XIV, dont il devient très proche.

• Cette prestigieuse fonction le conduit à suspendre son activité de dramaturge. Il en profite également pour adopter une vie personnelle plus stable et **se marier avec Catherine de Romanet**, qui lui donne sept enfants.

UNE FIN DE CARRIÈRE PLUS AUSTÈRE

1 • Un théâtre inspiré par la foi

• Racine, qui s'est réconcilié avec Port-Royal, est aussi devenu dévot. Il se laisse convaincre par **Mme de Maintenon**, l'épouse du roi, d'écrire une pièce d'inspiration biblique pour contribuer à l'éducation des jeunes filles pauvres de la noblesse, recueillies au pensionnat de **Saint-Cyr**. Il écrit donc ***Esther* (1689)**, tragédie empreinte de piété.

• Son succès l'incite à écrire une autre pièce, elle aussi inspirée par la Bible et accompagnée de musique et de chants, ce qui la rapproche de la tragédie grecque : ***Athalie* (1691)**.

2 • Les dernières années

• Après avoir écrit ces deux œuvres sacrées, Racine ne revient pas au théâtre. Il termine sa carrière en rédigeant un ***Abrégé de l'histoire de Port-Royal*** **(publié en 1767)**, pour défendre les jansénistes persécutés par le pouvoir, et des *Cantiques spirituels* (1694).

• À sa mort le **21 avril 1699**, Racine est inhumé à Port-Royal, comme il l'avait souhaité. Après la destruction de l'abbaye, ses cendres sont déplacées en 1711 à l'église Saint-Étienne-du-Mont, à Paris.

La tragédie racinienne

La tragédie racinienne obéit aux exigences du classicisme, le mouvement littéraire majeur du « Grand Siècle » ou siècle de Louis XIV (1643-1715). Racine définit toutefois sa propre conception du tragique et un style original. La règle essentielle qu'il semble s'être fixée est celle de plaire et d'émouvoir les spectateurs.

L'IMITATION DES ANCIENS

L'esthétique classique ne valorise pas l'originalité, mais l'imitation. La tragédie classique, en cinq actes et en alexandrins, trouve son origine dans la tragédie grecque de l'Antiquité. Mais l'imitation n'est pas le plagiat : Racine préserve sa liberté à l'égard de ses sources.

1 • L'héritage de la tragédie grecque

- Les dramaturges classiques reprennent des éléments majeurs de la **tragédie antique, telle qu'Aristote (env. 384-env. 322 av. J.-C.) la définit dans *La Poétique***. À l'origine, la tragédie est liée au **sacrifice** : étymologiquement (*tragos*, « bouc » ; *odê*, « chant »), elle renvoie au chant du bouc que l'on va sacrifier aux dieux, pour apaiser leur colère. La tragédie a une **fin malheureuse**, mais il n'est pas indispensable qu'il y ait des morts. Dans *Bérénice* (1670) de Racine, par exemple, il n'y en a aucun.

- Les héros des tragédies antiques, personnages de haut rang, sont caractérisés par leur **démesure** (ou ***hubris***), qui fait d'eux des êtres échappant aux normes de l'humanité moyenne. Ils doivent inspirer au spectateur à la fois de la **terreur** pour leurs actes violents, et de la **pitié**, pour la gravité du châtiment auquel ils sont soumis dans le dénouement. Écrasés par la fatalité, ils sont précipités malgré eux à leur perte.

- La tragédie est l'occasion d'un **enseignement moral**. Le spectateur prend conscience, grâce au spectacle tragique, des conséquences désastreuses de l'abandon aux passions. Il est ainsi censé choisir la voie de la modération, du juste milieu. C'est le principe de la **catharsis** ou purgation des passions, qu'Aristote considère comme essentiel à la tragédie

2 • Les sources antiques de Racine

- Les tragédies classiques sont souvent inspirées de **sujets historiques** – *Britannicus* (1669) et *Bérénice* (1670) font référence à l'Antiquité romaine – **ou**

mythologiques, dont les enjeux sont perçus comme universels et intemporels, contrairement aux sujets d'actualité, trop ancrés dans une période précise. *Andromaque* porte sur la guerre de Troie, un événement à la fois historique et mythique.

• Dans la préface d'*Andromaque*, Racine précise ses **sources antiques**. Il affirme s'être inspiré du **chant III de l'*Énéide* du poète Virgile** (Ier siècle av. J.-C.), des ***Troyennes*** et de l'***Andromaque* d'Euripide** (Ve siècle av. J.-C.), en particulier pour le caractère d'Hermione (voir préface, p. 12). Il s'est probablement aussi appuyé sur l'*Iliade*, l'épopée d'Homère (IXe siècle av. J.-C.), pour analyser les suites de la guerre de Troie.

• Racine note toutefois : « Quoique ma tragédie porte le même nom que [celle d'Euripide], le sujet en est cependant très différent » (préface d'*Andromaque*, p. 16). Il n'hésite pas à **adapter ses sources aux goûts de son époque**. Dans la pièce, par exemple, Astyanax est vivant, alors que la plupart des sources ne le font pas survivre à la chute de Troie. Sa présence donne plus de force au chantage exercé par Pyrrhus et de grandeur tragique à l'intrigue.

LES RÈGLES DU CLASSICISME

Le classicisme est défini par la norme, l'équilibre, la raison. Les tragédies obéissent donc à de nombreuses règles, destinées à garantir le plaisir et l'émotion du spectateur.

1 • La règle des trois unités

• Les dramaturges classiques doivent respecter les **unités de temps (l'action se déroule en moins de 24 heures) et de lieu (un seul lieu)**. Il s'agit, au nom d'une exigence de vraisemblance, de préserver la plus grande proximité possible entre le cadre spatiotemporel de l'action représentée et celui de la représentation, le théâtre. *Andromaque* se déroule bien en une journée et en un seul lieu : à Buthrot, une ville d'Épire.

• L'**unité d'action (une seule action principale)** doit garantir une meilleure compréhension de l'intrigue par le spectateur. Dans *Andromaque*, l'enjeu principal de l'action porte sur le sort d'Andromaque : va-t-elle accepter d'épouser Pyrrhus et ainsi sauver son fils ?

2 • La vraisemblance et la bienséance

• Les dramaturges classiques doivent respecter la **vraisemblance** dans leur peinture des passions humaines. Ils peuvent être ainsi conduits à trahir la vérité. Pour Boileau, « le vrai peut quelquefois n'être pas vraisemblable » (*Art poétique*, 1674). La vraisemblance impose l'organisation des faits dans une intrigue cohérente et conforme aux goûts du public. Cette règle permet au spectateur d'adhérer au spectacle représenté, afin de recevoir les leçons qu'il lui propose.

• L'exigence de **bienséance** interdit la représentation sur scène d'actions violentes ou exprimant le désir. Ces actions ont lieu hors scène et font ensuite l'objet d'un **récit**. C'est le cas dans le dénouement de *Phèdre* (1677), où Théramène, le célèbre messager, vient annoncer aux autres personnages la mort d'Hippolyte. Dans *Andromaque*, les personnages font le récit des épisodes de la guerre de Troie et de l'assassinat de Pyrrhus, qui ne sont pas montrés au spectateur.

L'ORIGINALITÉ DU TRAGIQUE RACINIEN

Racine apparaît toutefois comme une voix originale au sein du classicisme. Sa vision du personnage se différencie nettement de celle de Corneille. Ses tragédies reposent également sur la poésie de son style, au moins autant que sur l'action.

1 • Des tragédies des passions

• À partir de 1661, Louis XIV exerçant seul le pouvoir, les nobles en sont réduits au simple statut de courtisans. Racine, à la différence de Corneille, ne peut donc pas exalter la générosité de héros orgueilleux, en quête de gloire. **Le héros racinien ne peut parvenir à la maîtrise de lui-même et de ses passions, contrairement au héros cornélien**, confronté à un dilemme qu'il résout en acceptant de se sacrifier au nom d'une cause supérieure. Il n'est pas libre. Oreste fait ainsi ce constat : « Je me livre en aveugle au destin qui m'entraîne » (I, 1, v. 98).

• Dans les tragédies raciniennes, **les personnages**, qui ne sont « ni tout à fait bons, ni tout à fait méchants », **sont prisonniers de leurs passions**. Celles-ci peuvent faire d'eux des monstres malgré eux. Phèdre est la première à avoir « horreur » de sa « passion illégitime » pour Hippolyte, qu'elle ne parvient pas à refouler (Racine, préface de *Phèdre*). Dans *Andromaque*, Pyrrhus est la victime de la jalousie destructrice d'Hermione.

2 • Des poèmes tragiques

• Racine est un **poète, qui maîtrise parfaitement l'art de l'alexandrin**, dont la musicalité et le rythme traduisent les nuances des émotions humaines. De nombreuses images – « feux » par exemple, pour désigner le sentiment amoureux – et figures de style, comme les euphémismes ou les litotes, contribuent à atténuer la violence des passions et donnent un caractère parfois impersonnel aux souffrances représentées. On considère que le style racinien est caractérisé par un « effet de sourdine » (Léo Spitzer, *Études de style*, 1980).

• Pour Racine, **la poésie confère sa pureté et sa solennité à la tragédie**. Dans la préface de *Bérénice* (1670), il considère même que l'exigence essentielle est que la pièce se « ressente de la tristesse majestueuse qui fait tout le plaisir de la tragédie ».

Andromaque, un succès scénique jamais démenti

Andromaque, *dès sa création, est un triomphe. Même si elle n'est pas totalement épargnée par la critique, elle n'en a pas moins jusqu'à aujourd'hui toujours conquis son public : c'est, depuis la deuxième moitié du* XX*e siècle, la pièce la plus jouée de Racine.*

UNE CRÉATION RÉUSSIE

• La création *d'Andromaque* a lieu le **17 novembre 1667** dans l'appartement de la reine, devant le roi et la cour. La pièce est ensuite jouée par les plus grands acteurs de l'époque au théâtre de l'Hôtel de Bourgogne. Son succès rappelle aux spectateurs celui qu'a connu Corneille avec *Le Cid* (1636).

• Cependant, les **critiques** ne partagent pas tous l'enthousiasme des spectateurs. Saint-Évremond, par exemple, soutient que la pièce « est fort au-dessus du médiocre, quoiqu'un peu au-dessous du grand » (*Lettre à Monsieur de Lionne*, 1668). Le Grand Condé (1621-1686) est l'un de ceux qui critiquent la **violence du personnage de Pyrrhus**. D'autres mettent en cause les entorses que Racine aurait consenties à la **vraisemblance**.

• ***La Folle Querelle ou la Critique d'Andromaque* de Subligny** (1668, voir repère 1) révèle les réticences dont la pièce est l'objet. Subligny dénonce en particulier ce qu'il considère comme les **imperfections du style** de Racine. Sa censure sévère aurait conduit le dramaturge à effectuer quelques corrections dans la deuxième édition de l'œuvre et à se montrer vigilant pour ses pièces suivantes.

UNE PIÈCE POUR LES ACTRICES

• D'illustres actrices mettent en évidence l'importance des rôles féminins dans la pièce. **Mlle Du Parc** est la première à incarner Andromaque, et la **Champmeslé** reprend le rôle d'Hermione après 1670. Au XVIIIe siècle, ce même personnage est joué par **Mlle Clairon**, l'une des plus grandes actrices de son époque.

• L'époque romantique est sensible au **personnage d'Andromaque**, épouse fidèle et mère éplorée, que la souffrance fait accéder au sublime. Au milieu du XIXe siècle, **Baudelaire** lui rend cet hommage, dans *Les Fleurs du mal* : « Andromaque, des bras d'un grand époux tombée,/ Vil bétail, sous la main du superbe Pyrrhus,/ Auprès d'un tombeau vide en extase courbée » (« Le Cygne », *Les Fleurs du mal, Tableaux parisiens*, 1857).

• **Sarah Bernhardt** (1844-1923), certainement la plus grande tragédienne du XIXe siècle, renouvelle l'interprétation et du personnage d'Andromaque, à la Comédie-Française en 1873, et de celui d'Hermione, au théâtre Sarah-Bernhardt en 1903. Elle fait de la veuve d'Hector une femme à la fois digne de pitié et maîtresse d'elle-même, et d'Hermione un personnage sensible et malheureux.

DES MISES EN SCÈNE CONTEMPORAINES

• La plupart des grands metteurs en scène du XXe siècle s'intéressent à *Andromaque*, dont ils soulignent la dimension intemporelle. Ils sont sensibles à la **beauté musicale des alexandrins**, à la peinture de la **passion**, à la **force des personnages féminins**, ainsi qu'à l'arrière-plan à la fois historique et mythologique de la pièce : la **guerre de Troie**.

• On peut citer quelques exemples de mises en scène contemporaines :
– **Jean-Louis Barrault** présente une version devenue classique de la pièce au théâtre de l'Odéon à Paris, en **1962**.
– **Antoine Vitez**, en **1971**, libère la pièce d'un décor et de costumes renvoyant au XVIIe siècle. Il fait le choix de la sobriété et ose des allusions à l'époque contemporaine. Andromaque la captive peut parler au spectateur de la tragédie de la déportation.
– La mise en scène de **Robert Planchon** en **1989** rapproche la pièce du grand public en présentant Miou-Miou dans le rôle d'Hermione et Richard Berry dans celui d'Oreste.
– **Daniel Mesguich** en **1992** inscrit les héros d'*Andromaque* dans un contexte d'après-guerre. Tous sont hantés par leurs souvenirs et par la menace d'un effondrement de leur monde.
– **Philippe Adrien** en **2006**, dans un décor très sobre, met en valeur à la fois le vers racinien et la tension dramatique qui traverse la pièce. Il montre que la puissance de l'œuvre repose à la fois sur le verbe et sur une action riche en rebondissements.
– La mise en scène de **Declan Donnellan** en **2007** fait d'*Andromaque* la « tragédie des enfants ». Sur Andromaque, Hermione, Oreste et Pyrrhus pèse le souvenir du destin de leurs héroïques parents. Ils en oublient le destin d'un enfant, Astyanax, que le metteur en scène choisit de faire apparaître sur le plateau, car il est l'un des enjeux essentiels de l'intrigue (voir p. 180 et 3e de couverture).
– **Muriel Mayette** en **2010** replace la pièce dans un décor traditionnel, qui rappelle les colonnades des palais grecs. Le spectacle se clôt par la folie d'Oreste, qui disparaît dans la nuit.

Les personnages d'*Andromaque* : la souffrance et la fureur

Andromaque, Pyrrhus, Hermione et Oreste, les personnages principaux[1] de la pièce, sont pris dans une chaîne amoureuse qui les précipite à leur perte : chacun d'eux aime un personnage dont il n'est pas aimé. Racine, dans sa préface, les définit lui-même comme « ni tout à fait bons ni tout à fait méchants » : ils peuvent être cruels, mais ils sont surtout victimes de leurs passions.

ANDROMAQUE : VEUVE FIDÈLE ET MÈRE ÉPLORÉE

Par fidélité à Hector, son premier époux, Andromaque doit protéger Astyanax, leur fils. Face à l'adversité, elle se montre à la fois digne de pitié et déterminée, toujours consciente de ses devoirs.

1 • Une femme qui souffre

- Andromaque, **prisonnière** de Pyrrhus après la guerre de Troie et la mort d'Hector, se décrit comme une **épouse en deuil, humiliée par sa servitude**. « Captive, toujours triste, importune » à elle-même (I, 4, v. 301), elle est aussi une **mère inquiète**. Sauvé une première fois par la ruse, parce qu'un « faux Astyanax fut offert au supplice » à sa place (I, 3, v. 222), son fils est à nouveau menacé par les Grecs, qui voient en lui l'héritier d'Hector, leur ennemi. Elle envisage pour elle **la mort**, si ce fils lui est enlevé (I, 4, v. 376-380), ou au mieux **l'exil** « en quelque île déserte » (III, 4, v. 878), pour pleurer avec lui la perte des siens.
- Sa souffrance est également liée au terrible **dilemme** auquel Pyrrhus la confronte : elle peut sauver Astyanax en l'épousant, et trahir son mari défunt, ou prendre le risque de sacrifier son fils, si elle refuse. Épouser le fils d'Achille, meurtrier d'Hector, lui est certes insupportable, car elle est d'une **fidélité sans faille à son ancien époux**, dont Astyanax ravive pour elle le souvenir. Mais elle ne peut se résigner à la mort de son enfant innocent, sa « seule joie, et l'image d'Hector » (III, 8, v. 1016).

1. La pièce comporte huit personnages. Cléone et Céphise, deux confidentes, ont des rôles secondaires, de même que Phœnix, le gouverneur de Pyrrhus, et Pylade, l'ami d'Oreste.

2 • Le sens de l'honneur

• Andromaque, princesse déchue de Troie, est hantée par le **souvenir de sa patrie et de la défaite des Troyens**. Elle revit les scènes de cruauté infligées par Pyrrhus à sa famille au cours de « cette nuit cruelle/ Qui fut pour tout un peuple une nuit éternelle » (III, 8, v. 997-998). La **fidélité aux souffrances de sa famille et de son peuple** rend pour elle impossibles l'oubli et le pardon.

• Par amour maternel, autant que par respect pour la mémoire d'Hector, elle décide d'épouser Pyrrhus et de se suicider après la cérémonie. Sans trahir son premier mari, elle garantit ainsi à Astyanax la protection de son ancien ennemi. **En se sacrifiant**, pour « donner un père au fils d'Hector » (IV, 1, v. 1088), elle parvient à **sauver à la fois son fils et sa vertu**.

• Après la mort de Pyrrhus, en **reine d'Épire**, elle commande à ses sujets, qui la respectent et lui obéissent. À son nouvel époux, elle « rend tous les devoirs d'une veuve fidèle » (V, 5, v. 1590). Elle se montre déterminée à le **venger**, probablement parce qu'elle sait que les responsables de sa mort sont aussi ceux qui ont vaincu Troie. En les poursuivant, elle témoigne de sa fierté retrouvée, ainsi que de son attachement à sa patrie, à la justice et à l'honneur.

PYRRHUS : LE POUVOIR ET LA PASSION

Pyrrhus est un homme de pouvoir et un héros de la guerre de Troie. Mais il est victime de son amour pour Andromaque et de la passion d'Hermione, qui le livre au bras vengeur d'Oreste

1 • Le « vainqueur de Troie[1] »

• Pyrrhus, **fils d'Achille et roi d'Épire**, est un **héros de la guerre de Troie**, dont les innombrables exploits auraient même fait oublier ceux de son père (II, 2, v. 467). Il n'a pas peur d'assumer le **risque d'un conflit** avec les Grecs, bien qu'il ait été leur allié. S'il ne livre pas Astyanax, ces derniers pourraient en effet chercher « dans l'Épire une seconde Troie » (I, 2, v. 230). Au moment de son mariage, il présente un ultime témoignage de son **audace** et de son **courage**, en reconnaissant Astyanax « pour le roi des Troyens » (V, 3, v. 1512).

• Mais Pyrrhus est **violent**, même si Racine a pris la liberté « d'adoucir un peu la férocité » du personnage, telle qu'elle apparaît dans les sources de la pièce

1. *Andromaque*, vers 146.

(préface, p. 12). Pour Andromaque, sa **cruauté** fait presque de lui un **barbare**, qui surgit devant elle par une funeste nuit « les yeux étincelants », « Et de sang tout couvert échauffant le carnage » (III, 8, v. 999 et 1002).

- Pyrrhus a **conscience d'avoir été cruel** à la guerre : il reconnaît que son « courroux aux vaincus ne fut que trop sévère » (I, 1, v. 213) et qu'il a « fait des malheureux » (I, 4, v. 313). Indigné de la demande des Grecs, susceptible de réveiller d'anciennes haines, il prend **pitié d'Astyanax**, qui ne saurait constituer pour lui une menace et qu'il prie même Andromaque de sauver (III, 8).

2 • Une victime de la passion

- L'homme, pour son malheur, est **amoureux d'Andromaque**, dont le guerrier a causé le désespoir. Ses remords et ses promesses de réparation (I, 4, v. 325-332) la laissent insensible, ce qui est pour lui une vraie cause de souffrance. Il se dit « Brûlé de plus de feux qu['il] n'en allum[a] » (I, 4, v. 321). Il constate avec amertume : « La haine, le mépris, contre moi tout s'assemble » (III, 6, v. 921).

- C'est par dépit amoureux qu'il se livre à un odieux **chantage** : soit Andromaque l'épouse, soit il remet Astyanax aux Grecs. Il menace : « Le fils me répondra des mépris de la mère » (I, 4, v. 370). Son mariage avec Andromaque l'oblige à **trahir la promesse faite à Hermione**, qu'il devait épouser. Il ne prend pas la mesure de l'humiliation qu'il inflige à cette dernière (IV, 5). Il n'entend pas davantage les craintes de Phœnix, qui comprend pourtant les dangers d'une alliance objective entre Hermione et les Grecs, et qui lui annonce le dénouement (IV, 6).

HERMIONE ET ORESTE, OU LA FUREUR TRAGIQUE

Hermione et Oreste se laissent tous les deux entraîner par la passion. Ils commettent l'irréparable et le dénouement marque leur perte.

1 • Hermione ou la cruauté de l'amoureuse trahie

- Hermione, fille d'Hélène et de Ménélas, roi de Sparte[1], est une **princesse cruelle**. Elle n'a **aucune pitié pour Andromaque**, qui la supplie pourtant à genoux de lui accorder l'exil (III, 4). **Elle méprise plus encore les sentiments d'Oreste**, auquel elle ne cesse de donner de faux espoirs (II, 2). Pour faire de lui l'**instrument de sa vengeance** contre Pyrrhus, elle fait brutalement taire ses scrupules et lui

1. Voir mémo sur les personnages mythologiques (p. 189-190).

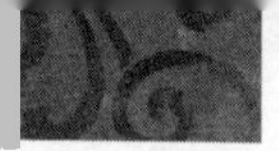

promet son cœur, s'il revient « tout couvert du sang de l'infidèle » (IV, 3, v. 1230). Pylade conseille à Oreste de la fuir car, pour lui, elle est « une furie » (III, 1, v. 753).

• Hermione est une **princesse amoureuse, que Pyrrhus a trahie. Dévorée par la jalousie et le chagrin**, elle désire la vengeance autant qu'elle la craint. Par orgueil, elle exige que le roi sache « Qu'on l'immole à [s]a haine, et non pas à l'État » (IV, 4, v. 1268). Mais elle réagit avec violence à l'annonce de la mort de celui qu'elle aime : Oreste aurait dû comprendre que « [s]on cœur démentait [s]a bouche » (V, 3, v. 1528). Incapable de survivre à Pyrrhus, elle choisit de **se suicider**.

2 • Oreste : le sacrilège et la folie

• Oreste, **ambassadeur des Grecs**, chargé d'obtenir que Pyrrhus leur livre Astyanax, développe face au roi d'Épire un **argument politique** essentiel (I, 2) : l'enfant constitue une menace pour la paix. Mais cette ambassade est surtout l'occasion pour lui de servir des **intérêts personnels**. Amoureux d'Hermione, il veut « La fléchir, l'enlever, ou mourir à ses yeux » (I, 1, v. 100). L'amour de Pyrrhus pour Andromaque lui donne d'abord quelques raisons d'espérer (II, 4).

• Oreste est un **personnage mélancolique, caractérisé par sa « fureur »** (III, 1, v. 709). Il a longtemps erré, par dépit amoureux et dans l'espoir d'être délivré de sa passion par la mort. Il envisage sans crainte le **suicide**, car il « se hait lui-même » (III, 1, v. 798). Dans le dénouement, l'annonce du suicide d'Hermione, qui lui avait reproché avec ingratitude d'avoir tué Pyrrhus, le fait basculer dans la **folie**. Ses visions font dire à Pylade, son fidèle ami : « Il perd le sentiment » (V, 5, v. 1645). Ce dernier semble d'ailleurs être son seul espoir de salut.

• Oreste, fils d'Agamemnon et de Clytemnestre, **membre de la famille des Atrides**[1], est persuadé d'être poursuivi par le « courroux » des dieux (III, 1, v. 777-780). La **passion** est la force fatale qui le prive de sa liberté et qui l'entraîne à sa perte. Conscient que sa « résistance est vaine », il affirme : « Je me livre en aveugle au destin qui m'entraîne » (I, 1, v. 97-98). Le destin fait de lui un « **parricide** » (V, 3, v. 1534), un « monstre » (V, 3, v. 1564). En tuant Pyrrhus, roi et père de son peuple, il devient définitivement un **personnage criminel et maudit**.

1. Les Atrides sont une famille maudite, fondée par Atrée, qui a tué les enfants de Thyeste, son frère, avant de les lui donner à manger. Oreste est lui aussi marqué par le crime. Quelques années plus tard, il tue sa mère Clytemnestre et Égisthe, l'amant de celle-ci. Égisthe, avec la complicité de Clytemnestre, avait assassiné Agamemnon. Oreste commet un matricide, pour venger son père.

Passion et politique ou la fatalité du désordre

La tragédie représente les passions malheureuses de personnages nobles, qui incarnent parfois le pouvoir. Dans Andromaque, *Pyrrhus est le roi d'Épire et Andromaque aurait pu être reine de Troie. La guerre a bouleversé leurs destins : à la fureur des combats a succédé celle des passions. Mais la raison du cœur n'est pas celle de l'État, qu'ils doivent continuer à défendre : les enjeux de pouvoir font obstacle à l'amour heureux, et le sentiment amoureux, surtout lorsqu'il se mue en haine, peut mettre en cause le fragile ordre du monde. Pour Racine, la passion et la politique ont néanmoins un point commun : elles révèlent la folie des hommes, qui ont l'illusion de les maîtriser.*

LA PASSION À L'ÉPREUVE DE LA POLITIQUE

Le retour de la paix n'a pas apporté la sérénité aux personnages d'*Andromaque*. Le souvenir de la violence des combats, achevés un an plus tôt, semble interdire toute réconciliation entre les anciens ennemis.

1 • La culpabilité des survivants et l'hostilité des vainqueurs

• Andromaque, bien plus que de Pyrrhus, est **prisonnière d'un passé** qu'Astyanax lui rappelle sans cesse et qui s'est figé au cours de la « nuit éternelle » où Pyrrhus est entré dans Troie (III, 8, v. 998). Elle ne peut oublier le sort réservé à son père pendant la guerre, tué dans un geste sacrilège alors qu'il « tenait embrassé l'autel » (III, 8, v. 996). Elle se souvient surtout de la fin indigne qu'a connu Hector, dont le cadavre a été « traîné sans honneur autour [des] murailles » de Troie (III, 8, v. 994). Elle **ne parvient pas à dépasser son deuil** : elle va « consulter » Hector sur son tombeau (III, 8, v. 1048) et souhaite même le rejoindre dans la mort. Avec son ancien mari est morte sa capacité à aimer.

• Même si elle ne peut pardonner à Pyrrhus ses crimes, elle doit **protéger Astyanax**, par amour maternel et pour rester fidèle aux ultimes demandes qu'Hector lui a adressées (IIII, 8, v. 1025-1026). Mais, dans un **contexte d'après-guerre** où la méfiance entre les camps reste profonde, son sort n'inspire guère de pitié aux vainqueurs. Hermione répond **sans émotion** à la tirade pathétique de « la veuve d'Hector pleurant à [ses] genoux » (III, 4, v. 860), en invoquant son « devoir austère » d'obéissance à Pyrrhus (III, 4, v. 881). Après avoir prévenu les Grecs qu'Astyanax était vivant et attiré leur colère « sur le fils » (II, 1, v. 444), Hermione veut en effet rendre à la mère « les tourments qu'elle [lui] fait souffrir » (II, 1, v. 447), voire obtenir sa mort.

2 • Une mise en question de l'héroïsme

• Dans la pièce, Racine met en évidence la **face sombre de l'héroïsme** : la violence des dix années de conflit a été telle que celles-ci ne sont associées qu'à des **images de feu, de sang et de larmes**. Hermione elle-même rappelle avec une ironie sarcastique que Pyrrhus est l'auteur de « généreux coups », tels que l'assassinat de Priam ou le sacrifice de Polyxène, égorgée sur la tombe d'Achille (IV, 5, v. 1333-1340)[1]. Le tableau qu'Andromaque fait de la guerre, en insistant sur l'opposition entre la nuit et les « yeux étincelants » de Pyrrhus, ainsi que les flammes, frappe particulièrement d'horreur l'imagination du spectateur[2] (III, 8, v. 999).

• La tragédie témoigne d'une **crise des valeurs liées à l'héroïsme**[3]. **Pyrrhus,** héros de la guerre, est **épuisé**. Contrairement à Andromaque, qui s'interdit l'oubli par fidélité aux siens, il veut **se libérer d'un passé** qui ne lui laisse que des « remords » et des « regrets » (I, 4, v. 317 et 320). Il demande ainsi à celle qu'il aime : « Peut-on haïr sans cesse ? et punit-on toujours ? » (I, 4, v. 312). Le lexique du combat, pour Pyrrhus, a glissé de l'évocation de la guerre à celle de la passion (I, 4, v. 291 et suivants, par exemple). Mais il sait que l'indifférence et les reproches d'Andromaque sont sûrement les plus inflexibles de ses adversaires.

L'IMPOSSIBLE ALLIANCE ENTRE POLITIQUE ET PASSION

Les personnages voudraient faire de la politique l'alliée de la passion. Mais la passion ne se commande pas. Elle échappe à tout contrôle de la raison et de la volonté.

1 • Le mariage, un instrument politique

• Le mariage entre Hermione et Pyrrhus est une **union politique, arrangée** par les pères, qui est censée garantir la paix entre Sparte et l'Épire. Pyrrhus fait ce

1. Voir mémo sur les personnages mythologiques p. 190.
2. La tirade d'Andromaque est un modèle d'hypotypose, figure de style consistant à rendre une description si vivante qu'on a l'impression d'assister à la scène.
3. Racine rend compte d'une réalité qui lui est contemporaine : la monarchie absolue de Louis XIV, qui gouverne seul à partir de 1661, a affaibli la noblesse et ses idéaux chevaleresques (générosité, sens de l'honneur) hérités du Moyen Âge.

brutal aveu à Hermione : « Nous fûmes sans amour engagés l'un à l'autre » (IV, 5, v. 1286). Cette dernière affirme à Oreste qu'elle se marie elle aussi par devoir, pour obéir à son père et aux exigences liées à son rang : « L'amour ne règle pas le sort d'une princesse./ La gloire d'obéir est tout ce qu'on nous laisse » (III, 2, v. 821-822).

• Mais **le personnage racinien ne peut contraindre son cœur pour se soumettre au devoir** : Pyrrhus, incapable de maîtriser sa passion, a eu tort de croire que ses serments « [lui] tiendraient lui d'amour » (IV, 5, v. 1296). L'arrangement conclu avec Ménélas était également déséquilibré et cruel, car il ne tenait pas compte des sentiments d'Hermione. Face à Pyrrhus, la princesse ne masque pas son amertume : « Je ne t'ai point aimé, cruel ? Qu'ai-je donc fait ? » (IV, 5, v. 1365). Avec sincérité, en amoureuse trahie, elle lui reproche ses infidélités et son ingratitude. Elle se serait pourtant contentée d'un mariage de raison : elle nourrissait l'illusion que Pyrrhus, « tôt ou tard, à [s]on devoir rendu,/ [lui] rapporterai[t] un cœur qui [lui] était dû » (IV, 5, v. 1364-1365).

2 • Une politique de la passion ?

• Les personnages tentent d'**utiliser la politique pour servir leurs intérêts personnels.** Oreste, qui prétend parler au nom des Grecs, fait de sa mission auprès de Pyrrhus l'occasion de gagner les faveurs d'Hermione : « Heureux si je pouvais, dans l'ardeur qui me presse,/ Au lieu d'Astyanax lui ravir ma princesse ! » (I, 1, v. 93-94). Le sage Pylade l'avertit des dangers d'une telle entreprise : il risque de demander « tout, pour ne rien obtenir » (I, 1, v. 140).

• Pyrrhus aurait eu intérêt à ce qu'Hermione suive Oreste (I, 3, v. 256), mais il ne veut pas livrer Astyanax. Il entend ainsi **contester l'hégémonie des Grecs.** Soucieux de maintenir l'indépendance de l'Épire, Pyrrhus se comporte comme un « enfant rebelle » (I, 2, v. 237). Oreste peut craindre sa proximité avec un autre « enfant », Astyanax, dont Pyrrhus fait un **instrument de chantage** avec Andromaque. Mais la réaction résignée de cette dernière lui fait comprendre l'**échec de sa stratégie** : en voulant la conquérir, Pyrrhus n'a fait « contre [lui] que [lui] donner des armes » (III, 7, v. 950)

• Le désir de pouvoir est en effet une **folie en amour, plus encore qu'en politique.** Pyrrhus, « brûlé de plus de feux » qu'il n'en alluma (I, 4, v. 320), l'apprend à ses dépens et finit par en mourir. L'image galante du feu fait le **lien** entre la passion et l'incendie de Troie : l'un et l'autre laissent les personnages seuls et dévastés ;

l'amour comme la guerre s'opposent à la liberté individuelle. Tous les efforts faits par les héros pour maîtriser la passion ou pour la faire partager à l'autre se retournent contre eux : l'**ironie tragique** fait basculer l'action d'une manière toujours contraire à ce qu'ils espèrent. Racine fait de l'homme, même lorsqu'il a accompli des actes héroïques, un personnage bien faible face à la **fatalité de la passion**.

PASSION ET CRISE POLITIQUE

Le spectateur est invité à se méfier de la force destructrice de la passion, qui bouleverse les destins individuels et l'histoire collective : dans *Andromaque*, elle est à l'origine d'une véritable crise politique, qui annonce peut-être une nouvelle guerre.

1 • La perspective d'une nouvelle guerre ?

• Les Grecs, en exigeant le sacrifice d'Astyanax par l'intermédiaire d'Oreste, révèlent leurs **inquiétudes** : la paix, qui n'est revenue que depuis un an, leur semble mal assurée ; l'enfant pourrait, dans le prolongement d'Hector, remettre en cause leur victoire. Ils témoignent aussi d'une certaine **méfiance à l'égard de Pyrrhus**, leur ancien allié. Oreste lui pose cette question: « Ne vous souvient-il plus, Seigneur, quel fut Hector ? » (I, 2, v. 155). Il l'accuse d'avoir oublié la violence du héros dont le « nom seul fait frémir [leurs] veuves et [leurs] filles » (I, 2, v. 156).

• Pyrrhus, en refusant de livrer Astyanax, prend le **risque d'une nouvelle guerre**. Au nom de sa passion pour Andromaque et de l'honneur, qui lui interdit de sacrifier un prisonnier après l'arrêt du conflit, il ne cède pas aux menaces d'Oreste. Il y répond au contraire par la provocation à l'égard des Grecs : « Qu'ils cherchent dans l'Épire une seconde Troie ;/ Qu'ils confondent leur haine, et ne distinguent plus/ Le sang qui les fit vaincre et celui des vaincus » (I, 2, v. 30-232).

• En trahissant Hermione pour épouser Andromaque, Pyrrhus est conscient qu'il **aggrave** encore **le risque de conflit** (III, 7, v. 961-962) Son mariage fait naître une alliance entre Troie et l'Épire, aux dépens des Grecs. Pyrrhus veut de plus faire d'Astyanax le « roi des Troyens » (V, 3, v. 1512). Il avait fait cette promesse à Andromaque : « Je l'instruirai moi-même à venger les Troyens. » De même qu'un phénix, Troie pourrait « sortir de sa cendre » (I, 4, v. 327 et 330). Pour les Grecs, les décisions et les déclarations de Pyrrhus constituent une menace inacceptable et une trahison.

2 • Crime passionnel et régicide

• Pyrrhus est **victime d'un crime passionnel**. Pour convaincre Oreste de le tuer, Hermione se livre à un cruel chantage affectif : « S'il ne meurt aujourd'hui, je puis l'aimer demain » (IV, 3, v. 1200). Elle prétend que le mariage de Pyrrhus avec Andromaque n'est pas qu'une affaire personnelle. Elle parle du roi comme d'un « infidèle », contre lequel Oreste devrait mener une légitime croisade : « Il me trahit, vous trompe, et nous méprise tous » (IV, 3, v. 1230 et 1224). Pour **justifier le régicide**, elle en fait une condition nécessaire au rétablissement de l'ordre du monde.

• Le crime, commis à la fois par les Grecs et par Oreste, grève toutefois l'avenir de **lourdes incertitudes**. Il préserve Andromaque du suicide, mais il lui confère la responsabilité d'assurer seule la sécurité de l'Épire. Les autres personnages, qui ont négligé la morale, ainsi que le respect dû au sacré, reçoivent le **juste châtiment de leur orgueil** : Hermione et Pyrrhus sont morts et les « filles d'Enfer » (V, 5, v. 1637) hantent Oreste, devenu « parricide, assassin, sacrilège », pour une « ingrate » (V, 5, v. 1574 et 1643). La guerre et les passions ont abandonné les hommes à la cruauté des dieux, dans un monde toujours menacé par le désastre et la désolation.

La mise en scène de la folie

La folie a toujours eu toute sa place au théâtre. Pour donner corps à un personnage qui lui est étranger, l'acteur doit devenir un autre, au moins le temps de la représentation, et probablement accepter une forme de déraison. La folie est également spectaculaire : elle est l'occasion d'une expression désordonnée et libre de nos passions, et parfois de nos peurs. La mettre en scène permet de s'en libérer, d'en conjurer la menace. Le théâtre est enfin l'espace par excellence où se pose la question des limites : entre le réel et sa représentation, la réalité et la fiction, la raison et la folie. Il nous interroge sur la fragilité de notre sagesse, qui pourrait n'être qu'une folie qui s'ignore.

Au XVIe siècle, sous l'influence de la pensée humaniste, la folie est présentée comme une forme paradoxale de sagesse. À l'âge classique, le théâtre traduit la méfiance qu'elle inspire ; il s'agit de la contrôler, pour qu'elle ne devienne pas un obstacle au lien social. Au XIXe siècle, la dramaturgie romantique va accorder davantage de valeur à la folie, qui révèle la part sombre et irrationnelle de l'être humain. Dans le théâtre contemporain, le fou devient l'homme ordinaire ; les hommes sont tous plus ou moins fous, prisonniers d'un monde dont le sens leur échappe.

DOCUMENT 1

LOUISE LABÉ, *Débat de Folie et d'Amour* (1555)

Le Débat de Folie et d'Amour *est un apologue mythologique écrit sous forme de dialogue, qui a une dimension théâtrale. Amour et Folie arrivent en même temps à la porte du palais de Jupiter, où ils sont invités à un festin, en compagnie des autres dieux. Folie veut entrer la première. Amour, en colère, veut lui passer devant et finit par lui décocher une flèche. Mais il échoue, car Folie est devenue invisible. Pour se venger d'Amour, Folie le rend aveugle. Elle montre ainsi que c'est elle qui domine le monde.*

AMOUR. – À ce que je vois, tu dois être quelque sorcière ou enchanteresse… Es-tu point quelque Circé ou Médée[1], ou quelque fée ?

FOLIE. – Tu m'outrages toujours de paroles ! Et n'a tenu à toi que ne l'aie été, de fait[2]. Je suis déesse, comme tu es dieu. Mon nom est Folie. Je suis celle
5 qui te fais grand et abaisse à mon plaisir : tu lâches l'arc et jettes les flèches en l'air ; mais je les assois aux cœurs que je veux. Quand tu te penses plus

1. **Circé, Médée :** magiciennes de la mythologie grecque.

2. Il n'a tenu qu'à toi que je n'aie été en effet rien d'autre qu'une sorcière.

grand qu'il est possible d'être, lors, par quelque petit dépit, je te range et remets avec le vulgaire. [...] Tu n'as rien que le cœur; le demeurant[1] est gouverné par moi. Tu ne sais quel moyen faut tenir[2]. Et pour te déclarer
10 [ce] qu'il faut faire pour complaire, je te mène et conduis; et ne te servent tes yeux non plus que la lumière à un aveugle. Et afin que tu me reconnaisses dorénavant, et que me saches gré quand je te mènerai ou conduirai, regarde si tu vois quelque chose de toi-même ? (*Folie tire les yeux à Amour.*)

AMOUR. – Ô Jupiter ! Ô ma mère Vénus ! Jupiter, Jupiter, que m'a servi d'être
15 dieu, fils de Vénus tant bien voulu jusqu'ici[3], tant au Ciel qu'en Terre, si je suis sujet à être injurié et outragé comme le plus vil esclave ou forçaire[4] qui soit au monde ? et qu'une femme inconnue m'ait pu crever les yeux ? Qu'à la male heure fut[5] ce banquet solennel institué pour moi ! Me trouverai-je en haut, avec les autres dieux, en tel ordre[6] ? Ils se réjouiront, et ne ferai que
20 me plaindre. Ô femme cruelle ! Comment m'as-tu ainsi accoutré !

FOLIE. – Ainsi se châtient les jeunes et présomptueux comme toi ! Quelle témérité a un enfant de s'adresser à une femme, et l'injurier et l'outrager de paroles, puis, de voie de fait, tâcher à la tuer ! Une autre fois, estime ceux que tu ne connais [pas] être, possible[7], plus grands que toi. Tu as offensé la
25 reine des hommes, celle qui leur gouverne le cerveau, cœur et esprit, à l'ombre de laquelle tous se retirent une fois en leur vie, et y demeurent les uns plus, les autres moins, selon leur mérite.

DOCUMENT 2

SHAKESPEARE, *Hamlet* (1598-1601) ♦ II, 2, traduction François-Victor Hugo, 1865

Le père d'Hamlet, roi du Danemark, a été assassiné par son frère Claudius, un usurpateur. Il apparaît à Hamlet sous la forme d'un spectre pour lui demander de le venger. Pour mieux démasquer son oncle, Hamlet feint la folie. Mais cette folie, qui exprime sa mélancolie et ses désillusions, se révèle riche d'enseignements.

POLONIUS. – Que lisez-vous là, monseigneur ?
HAMLET. – Des mots, des mots, des mots, des mots.
POLONIUS. – De quoi est-il question, monseigneur ?
HAMLET. – Entre qui ?

1. **Demeurant :** reste.
2. **Quels moyen faut tenir :** quelle attitude adopter.
3. **Tant bien voulu jusqu'ici :** si apprécié jusqu'à présent.
4. **Forçaire :** forçat.
5. **Qu'à la male heure fut :** que maudit soit.
6. **En tel ordre :** en tel état.
7. **Possible :** peut-être, éventuellement.

POLONIUS. – Je demande de quoi il est question dans ce que vous lisez, monseigneur ?

HAMLET. – De calomnies, monsieur ! Ce coquin de satiriste dit que les vieux hommes ont la barbe grise et la figure ridée ; que leurs yeux jettent un ambre, épais comme la gomme du prunier ; qu'ils ont une abondante disette d'esprit, ainsi que des jarrets très faibles. Toutes choses, monsieur, que je crois de toute ma puissance et de tout mon pouvoir, mais que je regarde comme inconvenant d'imprimer ainsi : car vous-même, monsieur, vous auriez le même âge que moi, si, comme une écrevisse, vous pouviez marcher à reculons.

POLONIUS, *à part*. – Quoique ce soit de la folie, il y a pourtant là de la suite. (*Haut*) Irez-vous changer d'air, monseigneur ?

HAMLET. – Dans mon tombeau ?

POLONIUS – Ce serait, en réalité, changer d'air... (*À part*) Comme ses répliques sont parfois grosses de sens ! Heureuses reparties qu'a souvent la folie, et que la raison et le bon sens ne trouveraient pas avec autant d'à-propos.

DOCUMENT 3

RACINE, *Andromaque* (1667) ♦ acte V, scène 5, v. 1613 à la fin → p. 108-110

Obéissant aux ordres d'Hermione et dans l'espoir de lui plaire, Oreste a tué Pyrrhus. Mais Hermione lui reproche ce crime, avant de se poignarder sur le corps de Pyrrhus. La nouvelle de la mort de celle qu'il aimait fait définitivement basculer Oreste dans la folie. Pylade tente de le sauver.

DOCUMENT 4

MOLIÈRE, *L'Avare* (1668) ♦ acte IV, scène 7

Harpagon, vieillard avare et tyrannique, vient de découvrir que la cassette qu'il tenait soigneusement cachée a été volée. Il ignore que c'est La Flèche, son valet, qui lui a joué ce mauvais tour. Seul en scène, il exprime sa rage et son sentiment d'être persécuté par tous. Sa mésaventure semble lui avoir fait perdre la raison.

HARPAGON (*Il crie au voleur dès le jardin, et vient sans chapeau.*). – Au voleur ! au voleur ! à l'assassin ! au meurtrier ! Justice, juste ciel ! Je suis perdu, je suis assassiné ! On m'a coupé la gorge, on m'a dérobé mon argent ! Qui peut-ce être ? Qu'est-il devenu ? où est-il ? Que ferai-je pour le trouver ? Où courir ? où ne pas courir ? N'est-il point là ? n'est-il point ici ? Qui est-ce ? Arrête ! (*Il se prend lui-même le bras.*) Rends-moi mon argent, coquin !... Ah ! c'est moi. Mon esprit est troublé, et j'ignore où je suis, qui je suis, et ce que je fais. Hélas ! mon pauvre argent, mon pauvre argent, mon cher ami, on m'a privé de toi ! et, puisque tu m'es enlevé, j'ai perdu mon support, ma consolation, ma joie; tout est fini pour moi, et je n'ai plus que faire au monde ! sans toi, il m'est impossible de vivre. C'en est fait, je n'en puis plus, je me meurs, je suis mort, je suis enterré ! N'y a-t-il personne qui veuille me ressusciter en me rendant mon cher argent, ou en m'apprenant qui l'a pris ? Euh ! que dites-vous ? Ce n'est personne. Il faut, qui que ce soit qui ait fait le coup, qu'avec beaucoup de soin on ait épié l'heure; et l'on a choisi justement le temps que je parlais à mon traître de fils. Sortons. Je veux aller quérir la justice et faire donner la question[1] à toute ma maison : à servantes, à valets, à fils, à fille, et à moi aussi. Que de gens assemblés ! Je ne jette mes regards sur personne qui ne me donne des soupçons, et tout me semble mon voleur. Eh ! de quoi est-ce qu'on parle là ? de celui qui m'a dérobé ? Quel bruit fait-on là-haut ? Est-ce mon voleur qui y est ? De grâce, si l'on sait des nouvelles de mon voleur, je supplie que l'on m'en dise. N'est-il point caché là parmi vous ? Ils me regardent tous et se mettent à rire. Vous verrez qu'ils ont part, sans doute, au vol que l'on m'a fait. Allons, vite, des commissaires, des archers, des prévôts[2], des juges, des gênes[3], des potences et des bourreaux. Je veux faire pendre tout le monde; et, si je ne retrouve mon argent, je me pendrai moi-même après !

DOCUMENT 5

ALFRED DE MUSSET, *Fantasio* (1834) ♦ acte I, scène 2

Fantasio est un personnage désabusé, qui éprouve douloureusement le décalage entre son idéal et la médiocrité de son existence. Il est la proie du « mal du siècle », dont souffre la génération romantique. Cette mélancolie, qui se fonde sur un refus de la froide raison, peut être considérée comme une forme de folie féconde, propice en particulier à la création littéraire.

SPARK. – En vérité, il y a de certains moments où je ne jurerais pas que tu n'es pas fou.

FANTASIO, *dansant toujours.* – Qu'on me donne une cloche ! une cloche de verre !

SPARK. – À propos de quoi une cloche ?

1. Donner la question : infliger la torture pour obtenir des aveux.

2. Prévôts : officiers de justice.

3. Gênes : instruments de torture.

FANTASIO. – Jean-Paul[1] n'a-t-il pas dit qu'un homme absorbé par une grande pensée est comme un plongeur sous sa cloche, au milieu du vaste Océan ? Je n'ai point de cloche, Spark, point de cloche, et je danse comme Jésus-Christ sur le vaste Océan.

SPARK. – Fais-toi journaliste ou homme de lettres, Henri, c'est encore le plus efficace moyen qui nous reste de désopiler[2] la misanthropie[3] et d'amortir l'imagination.

FANTASIO. – Oh ! je voudrais me passionner pour un homard à la moutarde, pour une grisette[4], pour une classe de minéraux. Spark ! essayons de bâtir une maison à nous deux.

SPARK. – Pourquoi n'écris-tu pas tout ce que tu rêves ? cela ferait un joli recueil.

FANTASIO. – Un sonnet vaut mieux qu'un long poème, et un verre de vin vaut mieux qu'un sonnet.

Il boit.

SPARK. – Pourquoi ne voyages-tu pas ? va en Italie.

FANTASIO. – J'y ai été.

SPARK. – Eh bien ! est-ce que tu ne trouves pas ce pays-là beau ?

FANTASIO. – Il y a une quantité de mouches grosses comme des hannetons qui vous piquent toute la nuit.

SPARK. – Va en France.

FANTASIO. – Il n'y a pas de bon vin du Rhin à Paris.

SPARK. – Va en Angleterre.

FANTASIO. – J'y suis. Est-ce que les Anglais ont une patrie ? J'aime autant les voir ici que chez eux.

SPARK. – Va donc au diable, alors.

FANTASIO. – Oh ! s'il y avait un diable dans le ciel ! s'il y avait un enfer, comme je me brûlerais la cervelle pour aller voir tout ça ! Quelle misérable chose que l'homme ! ne pas pouvoir seulement sauter par sa fenêtre sans se casser les jambes ! être obligé de jouer du violon dix ans pour devenir un musicien passable ! Apprendre pour être peintre, pour être palefrenier ! Apprendre pour faire une omelette ! Tiens, Spark, il me prend des envies de m'asseoir sur un parapet, de regarder couler la rivière, et de me mettre à compter un, deux, trois, quatre, cinq, six, sept, et ainsi de suite jusqu'au jour de ma mort.

1. Jean-Paul (J. P. F. Richter, dit) : romancier allemand (1763-1825).
2. Désopiler : faire rire, mettre à distance.
3. Misanthropie : méfiance à l'égard de l'humanité.
4. Grisette : jeune fille de mœurs légères.

DOCUMENT 6

ALBERT CAMUS, *Caligula* (1944) ♦ acte I, scène 4, © Éditions Gallimard

Tout le monde cherche l'empereur romain Caligula, qui a disparu après la mort de Drusilla, sa sœur et amante. Lorsqu'il réapparaît sur la scène, il a « l'air égaré » et « sale » (scène 3). Il affirme être parti à la recherche de la lune. Habité par le fantasme de sa toute-puissance, ainsi que par un certain idéalisme, il n'est toutefois pas encore un tyran criminel. S'il semble fou, c'est seulement parce qu'il a pris conscience de l'absurdité de l'existence.

CALIGULA. – Hélicon !
HÉLICON. – Oui, Caïus.
CALIGULA. – Tu penses que je suis fou.
HÉLICON. – Tu sais bien que je ne pense jamais. Je suis bien trop intelligent
5 pour ça.
CALIGULA. – Oui. Enfin ! Mais je ne suis pas fou et même je n'ai jamais été aussi raisonnable. Simplement, je me suis senti tout d'un coup un besoin d'impossible. (*Un temps.*) Les choses, telles qu'elles sont, ne me semblent pas satisfaisantes.
10 HÉLICON. – C'est une opinion assez répandue.
CALIGULA. – Il est vrai. Mais je ne le savais pas auparavant. Maintenant, je sais. (*Toujours naturel.*) Ce monde, tel qu'il est fait, n'est pas supportable. J'ai donc besoin de la lune, ou du bonheur, ou de l'immortalité, de quelque chose qui soit dément peut-être, mais qui ne soit pas de ce monde.
15 HÉLICON. – C'est un raisonnement qui se tient. Mais, en général, on ne peut pas le tenir jusqu'au bout.
CALIGULA, *se levant, mais avec la même simplicité.* – Tu n'en sais rien. C'est parce qu'on ne le tient jamais jusqu'au bout que rien n'est obtenu. Mais il suffit peut-être de rester logique jusqu'à la fin.

Il regarde Hélicon.

20 Je sais aussi ce que tu penses. Que d'histoires pour la mort d'une femme ! Non, ce n'est pas cela. Je crois me souvenir, il est vrai, qu'il y a quelques jours, une femme que j'aimais est morte. Mais qu'est-ce que l'amour ? Peu de chose. Cette mort n'est rien, je te le jure ; elle est seulement le signe d'une vérité qui me rend la lune nécessaire. C'est une vérité toute simple et
25 toute claire, un peu bête, mais difficile à découvrir et lourde à porter.
HÉLICON. – Et qu'est-ce donc que cette vérité, Caïus ?
CALIGULA, *détourné, sur un ton neutre.* – Les hommes meurent et ils ne sont pas heureux.

DOCUMENT 7

JACQUES LOUIS DAVID, *La Douleur et les regrets d'Andromaque sur le corps d'Hector son mari* (1783) ♦ 2e de couverture

Jacques Louis David (1748-1825) est le plus illustre représentant du style néoclassique, qui se traduit par un intérêt renouvelé pour l'Antiquité. Il est le premier peintre de Napoléon Ier à partir de 1804. Dans La Douleur et les regrets d'Andromaque sur le corps d'Hector son mari *(1783), il peint le désespoir d'Andromaque qui vient de perdre Hector, tué par Achille. Il fait ainsi référence à un épisode de la guerre de Troie, dont rend compte l'*Iliade, *épopée antique d'Homère. C'est avec ce tableau que David a été reçu à l'Académie royale des Beaux-Arts.*

Écrire la guerre

La guerre est l'un des thèmes privilégiés de la littérature. Elle crée de l'action, du drame, et nous interroge sur notre humanité et ses limites. La littérature épique voit comme un héros celui qui, aux yeux de son ennemi, n'est souvent qu'un barbare. L'écriture, lorsqu'elle se fait polémique, peut être considérée elle-même comme une arme de combat. De nombreux textes dénoncent l'absurdité de la guerre : l'amour de la patrie ne serait qu'un argument avancé par les hommes de pouvoir pour faire accepter à de jeunes innocents leur sacrifice. Les guerres contemporaines, par leur violence extrême, posent une autre question essentielle : comment dire l'indicible ? L'œuvre littéraire n'est pas un texte historique. Elle a parfois une dimension fictive, et toujours une ambition esthétique. On peut craindre que les artifices du style ne trahissent la réalité de l'horreur. Mais la littérature a le pouvoir de dire ou de suggérer ce qui échappe au discours rationnel de l'historien. En donnant à la victime des mots pour dire son expérience et au lecteur la possibilité de la partager, l'écriture permet certainement à tous de se libérer de la guerre, pour choisir la vie.

DOCUMENT 8

RACINE, *Andromaque* (1667) ♦ acte III, scène 8, v. 981-1011 → p. 75-76

Andromaque voudrait que Pyrrhus sauve son fils Astyanax, et ne le livre pas aux Grecs. Pyrrhus y pose une condition : qu'elle l'épouse. Céphise, confidente d'Andromaque, lui demande d'accepter ce marché. Mais Andromaque lui rappelle les cruautés dont Pyrrhus s'est rendu coupable pendant la guerre de Troie. Le héros n'est pour elle qu'un meurtrier.

DOCUMENT 9

VOLTAIRE, *Candide* (1759) ♦ chapitre 3

Candide *est un conte philosophique de Voltaire (1694-1778). Le personnage éponyme est un jeune homme naïf, qui croit vivre dans le meilleur des mondes possibles. Il est cependant chassé de son paradis, un château de Westphalie, après avoir séduit Mlle Cunégonde, la fille de son maître. La Bulgarie est la première étape de son périple. Il y découvre l'existence du mal à travers le terrible spectacle de la guerre, dont Voltaire pointe avec ironie la beauté supposée.*

REPÈRES | FICHES | DOCUMENTS | OBJECTIF BAC | MÉMO

Rien n'était si beau, si leste[1], si brillant, si bien ordonné que les deux armées. Les trompettes, les fifres[2], les hautbois, les tambours, les canons, formaient une harmonie telle qu'il n'y en eut jamais en enfer. Les canons renversèrent d'abord à peu près six mille hommes de chaque côté ; ensuite
5 la mousqueterie[3] ôta du meilleur des mondes environ neuf à dix mille coquins qui en infectaient la surface. La baïonnette fut aussi la raison suffisante de la mort de quelques milliers d'hommes. Le tout pouvait bien se monter à une trentaine de mille âmes. Candide, qui tremblait comme un philosophe, se cacha du mieux qu'il put pendant cette boucherie héroïque.

10 Enfin, tandis que les deux rois faisaient chanter des *Te Deum*[4] chacun dans son camp, il prit le parti d'aller raisonner ailleurs des effets et des causes. Il passa par-dessus des tas de morts et de mourants, et gagna d'abord un village voisin ; il était en cendres : c'était un village abare[5] que les Bulgares avaient brûlé, selon les lois du droit public[6]. Ici des vieillards criblés de coups
15 regardaient mourir leurs femmes égorgées, qui tenaient leurs enfants à leurs mamelles sanglantes ; là des filles éventrées après avoir assouvi les besoins naturels de quelques héros rendaient les derniers soupirs ; d'autres, à demi brûlées, criaient qu'on achevât de leur donner la mort. Des cervelles étaient répandues sur la terre à côté de bras et de jambes coupés.

20 Candide s'enfuit au plus vite dans un autre village : il appartenait à des Bulgares, et des héros abares l'avaient traité de même. Candide, toujours marchant sur des membres palpitants ou à travers des ruines, arriva enfin hors du théâtre de la guerre, portant quelques petites provisions dans son bissac[7], et n'oubliant jamais mademoiselle Cunégonde. Ses provisions lui manquèrent
25 quand il fut en Hollande ; mais ayant entendu dire que tout le monde était riche dans ce pays-là, et qu'on y était chrétien, il ne douta pas qu'on ne le traitât aussi bien qu'il l'avait été dans le château de monsieur le baron avant qu'il en eût été chassé pour les beaux yeux de mademoiselle Cunégonde.

1. **Leste :** élégant.
2. **Fifres :** petites flûtes.
3. **Mousqueterie :** décharge de plusieurs fusils tirés en même temps.
4. ***Te Deum* :** prière de louanges à Dieu, qui permet aussi de remercier d'une victoire (*Te Deum laudamus*).
5. **Abares :** peuple d'origine mongole, qui a envahi l'Europe occidentale.
6. **Droit public :** règles qui régissent les relations entre États.
7. **Bissac :** besace.

DOCUMENT 10

ARTHUR RIMBAUD, *Le Dormeur du val* (1870)

Ce n'est qu'au dernier vers de ce sonnet que le lecteur comprend véritablement que Rimbaud (1854-1891) dénonce l'inhumanité de la guerre. Dans ce poème, la beauté de la nature ne doit pas donner l'illusion du bonheur. Le soldat, jeune et innocent, y est certes protégé comme un enfant endormi dans son berceau. Mais c'est dans la mort qu'il a trouvé la paix.

C'est un trou de verdure où chante une rivière,
Accrochant follement aux herbes des haillons
D'argent ; où le soleil, de la montagne fière,
Luit : c'est un petit val qui mousse de rayons.

5 Un soldat jeune, bouche ouverte, tête nue,
Et la nuque baignant dans le frais cresson bleu,
Dort ; il est étendu dans l'herbe, sous la nue,
Pâle dans son lit vert où la lumière pleut.

Les pieds dans les glaïeuls, il dort. Souriant comme
0 Sourirait un enfant malade, il fait un somme :
Nature, berce-le chaudement : il a froid.

Les parfums ne font pas frissonner sa narine ;
Il dort dans le soleil, la main sur sa poitrine,
Tranquille. Il a deux trous rouges au côté droit.

DOCUMENT 11

LOUIS-FERDINAND CÉLINE, *Voyage au bout de la nuit* (1932), © Éditions Gallimard

Dans son roman Voyage au bout de la nuit, Céline *(1894-1961) s'inspire de son propre engagement lors de la Première Guerre mondiale, pour évoquer celui de Bardamu, son personnage. Sur le front, un messager vient annoncer la mort du maréchal des logis Barousse. Il est interrompu par une très puissante explosion. Pour Céline, la guerre est étrangère à tout héroïsme. Elle réduit les hommes à l'état d'animaux, incapables de pitié, obsédés par leur propre survie.*

Et puis non, le feu est parti, le bruit est resté longtemps dans ma tête, et puis les bras et les jambes qui tremblaient comme si quelqu'un vous les secouait de par-derrière. Ils avaient l'air de me quitter, et puis ils me sont restés quand même mes membres. Dans la fumée qui piqua les yeux encore

5 pendant longtemps, l'odeur pointue de la poudre et du soufre nous restait comme pour tuer les punaises et les puces de la terre entière.

Tout de suite après ça, j'ai pensé au maréchal des logis Barousse qui venait d'éclater comme l'autre nous l'avait appris. C'était une bonne nouvelle. Tant mieux ! que je pensais tout de suite ainsi : « C'est une bien 10 grande charogne en moins dans le régiment ! » Il avait voulu me faire passer au Conseil[1] pour une boîte de conserves. « Chacun sa guerre ! » que je me dis. De ce côté-là, faut en convenir, de temps en temps, elle avait l'air de servir à quelque chose la guerre ! J'en connaissais bien encore trois ou quatre dans le régiment, de sacrées ordures que j'aurais aidé bien volontiers 15 à trouver un obus comme Barousse.

Quant au colonel, lui, je ne lui voulais pas de mal. Lui pourtant aussi il était mort. Je ne le vis plus, tout d'abord. C'est qu'il avait été déporté sur le talus, allongé sur le flanc par l'explosion et projeté jusque dans les bras du cavalier à pied, le messager, fini lui aussi. Ils s'embrassaient tous les deux 20 pour le moment et pour toujours, mais le cavalier n'avait plus sa tête, rien qu'une ouverture au-dessus du cou, avec du sang dedans qui mijotait en glouglous comme de la confiture dans la marmite. Le colonel avait son ventre ouvert, il en faisait une sale grimace. Ça avait dû lui faire du mal ce coup-là au moment où c'était arrivé. Tant pis pour lui ! S'il était parti dès 25 les premières balles, ça ne lui serait pas arrivé.

Toutes ces viandes saignaient énormément ensemble.

DOCUMENT 12

JORGE SEMPRUN, *L'Écriture ou la vie* (1994) ♦ Ire partie, chap. 5, « La trompette de Louis Amstrong », © Éditions Gallimard

Jorge Semprun (1923-2011) est un rescapé du camp de Buchenwald, où il a été déporté pendant la Seconde Guerre mondiale. Il se pose la question de la transmission de l'expérience de la déportation. Comment raconter l'horreur absolue du crime contre l'humanité ? Comment être écouté et cru ? L'artifice de l'art, qui pourrait être considéré comme moralement suspect, semble paradoxalement être le seul choix possible pour redonner aux témoins une voix.

– Tu tombes bien, de toute façon, me dit Yves, maintenant que j'ai rejoint le groupe des futurs rapatriés. Nous étions en train de nous demander comment il faudra raconter, pour qu'on nous comprenne.

---

1. **Conseil :** conseil de discipline qui jugeait les soldats suspects d'indiscipline ou de désertion. Les jugements du Conseil étaient sévères et redoutés.

Je hoche la tête, c'est une bonne question : une des bonnes questions.

– Ce n'est pas le problème, s'écrie un autre, aussitôt. Le vrai problème n'est pas de raconter, quelles qu'en soient les difficultés. C'est d'écouter... Voudra-t-on écouter nos histoires, même si elles sont bien racontées ?

Je ne suis donc pas le seul à me poser cette question. Il faut dire qu'elle s'impose d'elle-même.

Mais ça devient confus. Tout le monde a son mot à dire. Je ne pourrai pas transcrire la conversation comme il faut, en identifiant les participants.

– Ça veut dire quoi, « bien racontées » ? s'indigne quelqu'un. Il faut dire les choses comme elles sont, sans artifices !

C'est une affirmation péremptoire qui semble approuvée par la majorité des futurs rapatriés présents. Des futurs narrateurs possibles. Alors, je me pointe, pour dire ce qui me paraît une évidence.

– Raconter bien, ça veut dire : de façon à être entendus. On n'y parviendra pas sans un peu d'artifice. Suffisamment d'artifice pour que ça devienne de l'art !

Mais cette évidence ne semble pas convaincante, à entendre les protestations qu'elle suscite. Sans doute ai-je poussé trop loin le jeu de mots. Il n'y a guère que Darriet qui m'approuve d'un sourire. Il me connaît mieux que les autres.

J'essaie de préciser ma pensée.

– Écoutez les gars ! La vérité que nous avons à dire – si tant est que nous en ayons envie, nombreux sont ceux qui ne l'auront jamais ! – n'est pas aisément crédible... Elle est même inimaginable...

Une voix m'interrompt, pour renchérir.

– Ça, c'est juste ! dit un type qui boit d'un air sombre, résolument. Tellement peu crédible que moi-même je vais cesser d'y croire, dès que possible !

Il y a des rires nerveux, j'essaie de poursuivre.

– Comment raconter une vérité peu crédible, comment susciter l'imagination de l'inimaginable, si ce n'est en élaborant, en travaillant la réalité, en la mettant en perspective ? Avec un peu d'artifice, donc !

Ils parlent tous à la fois. Mais une voix finit par se distinguer, s'imposant dans le brouhaha. Il y a toujours des voix qui s'imposent dans les brouhahas semblables : je le dis par expérience.

– Vous parlez de comprendre... Mais de quel genre de compréhension s'agit-il ?

Je regarde celui qui vient de prendre la parole. J'ignore son nom, mais je le connais de vue. Je l'ai déjà remarqué, certains après-midi de dimanche, se promenant devant le block des Français, le 34, avec Julien Cain, directeur de la Bibliothèque nationale, ou avec Jean Baillou, secrétaire de Normale Sup. Ça doit être un universitaire.

– J'imagine qu'il y aura quantité de témoignages… Ils vaudront ce que vaudra le regard du témoin, son acuité, sa perspicacité… Et puis il y aura des 45 documents… Plus tard, les historiens recueilleront, rassembleront, analyseront les uns et les autres : ils en feront des ouvrages savants… Tout y sera dit, consigné… Tout y sera vrai… sauf qu'il manquera l'essentielle vérité, à laquelle aucune reconstruction historique ne pourra jamais atteindre, pour parfaite et omnicompréhensive qu'elle soit…

50 Les autres le regardent, hochant la tête, apparemment rassurés de voir que l'un d'entre nous arrive aussi clairement à formuler les problèmes.

– L'autre genre de compréhension, la vérité essentielle de l'expérience n'est pas transmissible… Ou plutôt, elle ne l'est que par l'écriture littéraire…

Il se tourne vers moi, sourit.

55 – Par l'artifice de l'œuvre d'art, bien sûr !

DOCUMENT 13

DECLAN DONNELLAN, mise en scène d'*Andromaque* (2007) ♦ 3e de couverture

Declan Donnellan, metteur en scène britannique, a présenté Andromaque *en 2007 au théâtre des Bouffes du Nord, à Paris. Il a mis en scène de nombreuses pièces de Shakespeare, ainsi que des œuvres classiques de la littérature française. Il fait apparaître le désordre intérieur qu'expriment les héros de Racine, derrière l'apparente rigueur formelle de l'alexandrin. Il place également Astyanax au cœur de la pièce : c'est, dit-il, « un pion dont on se sert, une sorte d'otage » autour duquel les personnages se déchirent.*

Les raisons de la représentation de la folie

| SUJET D'ÉCRIT 1 |

Objet d'étude : Le théâtre : texte et représentation

DOCUMENTS *(Les documents figurent dans l'ouvrage, p. 167-170.)*

- **SHAKESPEARE, *Hamlet*,** acte II, scène 2 (1598-1601) ♦ DOC 2, p. 168
- **RACINE, *Andromaque*,** acte V, scène 5 (1667) ♦ DOC 3, p. 169
- **MOLIÈRE, *L'Avare*,** acte IV, scène 7 (1668) ♦ DOC 4, p. 169

QUESTIONS SUR LE CORPUS

1 Vous préciserez si la représentation de la folie inspire le rire et/ou la pitié pour le personnage du fou.

2 Vous vous demanderez dans quelle mesure le discours du fou révèle certaines vérités sur les autres et sur le monde.

TRAVAUX D'ÉCRITURE

Commentaire (séries générales)

Vous ferez le commentaire du texte de Racine, extrait d'*Andromaque* (doc. 3, p. 169).

Commentaire (séries technologiques)

Vous ferez le commentaire du texte de Racine (doc. 3, p. 169), en vous aidant des pistes de lecture suivantes.
– Vous analyserez le basculement progressif d'Oreste dans la folie.
– Vous montrerez qu'Oreste, dans ce dénouement tragique, inspire à la fois la terreur et la pitié.

Dissertation

Dans sa préface intitulée « Comment jouer *Les Bonnes* » (1963), Jean Genet explique ce qui, pour lui, donne sens à la représentation théâtrale : « Je vais au théâtre afin de me voir, sur la scène [...], tel que je ne saurais – ou n'oserais – me voir ou me rêver, et tel pourtant que je me sais être. » Vous vous demanderez si, pour vous aussi, le théâtre doit présenter de l'homme une autre image que celle du quotidien.

Vous répondrez à cette question dans un développement précis et argumenté, en vous appuyant sur les textes du corpus et sur vos lectures personnelles.

Écriture d'invention

Au XVIIe siècle, l'acteur Montfleury jouait le rôle d'Oreste avec tant d'emportement qu'il fut frappé d'une crise d'apoplexie pendant le spectacle. Il en est mort. Les excès du personnage semblent avoir eu raison de sa santé. Vous avez assisté à la scène et vous écrivez, dans un journal de l'époque, un article pour développer votre conception du jeu de l'acteur. Dans cet article, nourri d'exemples précis, vous vous demanderez si, pour pouvoir les exprimer, l'acteur doit nécessairement ressentir les émotions de son personnage.

Argumenter contre la guerre

| SUJET D'ÉCRIT 2 |

Objet d'étude: La question de l'homme dans les genres de l'argumentation du XVIe siècle à nos jours.

DOCUMENTS *(Les documents figurent dans l'ouvrage, p. 175-178.)*

- **RACINE, *Andromaque*,** acte III, scène 8 (1667), v. 981-1011 ♦ DOC 8, p. 175
- **VOLTAIRE, *Candide*** (1759), chapitre 3 ♦ DOC 9, p. 175
- **LOUIS-FERDINAND CÉLINE, *Voyage au bout de la nuit*** (1932) ♦ DOC 11, p. 174

QUESTIONS SUR LE CORPUS

1 En vous appuyant plus particulièrement sur une analyse des registres, vous montrerez de quelle manière est mise en évidence l'horreur de la guerre dans les trois textes.

2 Vous préciserez la vision que les représentations de la guerre nous donnent de l'homme.

TRAVAUX D'ÉCRITURE

Commentaire (séries générales)

Vous ferez le commentaire du texte de Racine, extrait d'*Andromaque* (doc. 8, p. 175).

Commentaire (séries technologiques)

Vous ferez le commentaire du texte de Racine (doc. 8, p. 175), en vous aidant des pistes de lecture suivantes.
– Vous analyserez la nature et les modalités d'expression du dilemme tragique face auquel se trouve Andromaque dans l'extrait.
– Vous montrerez qu'Andromaque fait un tableau saisissant et pathétique d'un épisode de la guerre de Troie.

Dissertation

L'argumentation indirecte est-elle le meilleur moyen de nous faire réfléchir sur « l'inhumain » ?

Vous répondrez à cette question dans un développement précis et argumenté, en vous appuyant sur les textes du corpus et sur vos lectures personnelles.

Écriture d'invention

Pyrrhus, qui a entendu Andromaque dénoncer sa cruauté, lui répond en développant son propre souvenir de la guerre et en défendant son attitude, considérée comme héroïque par les siens. Vous écrirez son plaidoyer sous la forme d'une tirade structurée, dominée par le registre épique.

Une rencontre sous tension | SUJET D'ORAL 1 |

• **Racine, *Andromaque***, acte I, scène 4

De : « Seigneur, que faites-vous, et que dira la Grèce ? » à : « Dans ses murs relevés couronner votre fils. » → p. 36-37, v. 297-332

QUESTION

Vous montrerez que, dans cette scène, se mêlent la galanterie et la violence.

Pour vous aider à répondre

a Vous analyserez le discours amoureux de Pyrrhus. Andromaque parle elle aussi d'amour, mais est-ce dans les mêmes termes et pour les mêmes raisons ?
b Vous montrerez que, dans leur discours, les personnages ont chacun pour but de persuader l'autre. Que veulent-ils obtenir ? Quelles stratégies argumentatives déploient-ils pour y parvenir ?
c Vous montrerez qu'une certaine violence est présente à l'arrière-plan de leur discours. Vous analyserez en particulier l'image que l'un et l'autre donnent de la guerre de Troie.

COMME À L'ENTRETIEN

1 Si vous étiez metteur en scène, quelles consignes donneriez-vous aux acteurs pour incarner les personnages d'Andromaque et de Pyrrhus dans cet extrait ?

2 Dans la pièce, Andromaque se trouve face à un dilemme. Précisez-en les termes. Citez d'autres héros ou héroïnes de tragédies qui doivent eux aussi affronter un cruel dilemme.

3 Certains vers célèbres d'*Andromaque* (par exemple : « Brûlé de plus de feux que je n'en allumai ») révèlent la dimension poétique de l'œuvre. Pensez-vous que la poésie du texte soit compatible avec les exigences du théâtre ? La pièce a-t-elle besoin d'être représentée, ou pourrait-elle simplement être lue ?

4 *Andromaque* est une pièce qui laisse une place importante à la mythologie, et en particulier à la guerre de Troie. Connaissez-vous d'autres pièces qui s'appuient également sur des épisodes et des personnages de la mythologie ?

5 La tragédie classique nous présente des situations et des personnages très éloignés de notre réalité contemporaine. Peut-on pour autant considérer que ces pièces sont démodées ? Justifiez votre réponse.

Une cruelle vengeance | SUJET D'ORAL 2 |

• **Racine, *Andromaque***, acte IV, scène 3

De : « Ah ! Madame ! est-il vrai qu'une fois » à : « Et qu'il meure chargé de la haine publique. » → p. 84-86, v. 1147-1186

QUESTION

Vous montrerez que, dans cette scène, Hermione apparaît à la fois comme une femme insensible et cruelle et comme une amoureuse désespérée.

Pour vous aider à répondre

a En vous appuyant sur une étude de la structure de l'extrait, vous expliquerez comment Hermione annonce à Oreste la terrible mission qu'elle va lui confier. Quelle est la réaction d'Oreste ? Pourquoi ?
b Vous montrerez la cruauté de l'attitude d'Hermione à l'égard d'Oreste.
c Vous montrerez que le désir de vengeance d'Hermione est la réaction d'une amoureuse trahie par celui qu'elle aime.

COMME À L'ENTRETIEN

1 Oreste est un meurtrier. Pyrrhus n'est pas sa seule victime. Pouvez-vous préciser l'histoire célèbre de ce héros de la mythologie ? Citez d'autres œuvres littéraires, en particulier théâtrales, dans lesquelles il apparaît.

2 Quelle est la réaction d'Hermione lorsque Oreste lui annonce qu'il a assassiné Pyrrhus ? Pourquoi ?

3 Citez d'autres héroïnes tragiques qui se vengent par dépit amoureux.

4 L'assassinat de Pyrrhus peut certes être considéré comme un crime passionnel, mais c'est aussi un régicide. Montrez que toute dimension politique n'est pas absente de la pièce.

5 La pièce de Racine se conclut par plusieurs morts. Pensez-vous que la mort d'un personnage, dans le dénouement, soit indispensable à la grandeur de la tragédie ?

Une scène pathétique

| LECTURE 1 |

DOCUMENT

• **JACQUES LOUIS DAVID,** *La Douleur et les regrets d'Andromaque sur le corps d'Hector son mari* (1783) ♦ p. 173 et 2e de couverture

Dans *La Douleur et les regrets d'Andromaque sur le corps d'Hector son mari*, David (1748-1825) peint la souffrance d'Andromaque, que son jeune fils tente de consoler. La veuve d'Hector, les yeux baignés de larmes, pose une main sur le corps de son époux pour signifier sa difficulté à accepter sa disparition. Le héros, mort au combat, est représenté la tête ceinte d'une couronne de lauriers. Ce sujet antique, également inspiré par les représentations chrétiennes du sacrifice du Christ, rattache l'œuvre au style néoclassique.

QUESTIONS

1 Identifiez les personnages du tableau. Quels sont les objets et les éléments du décor qui font référence à l'Antiquité et au rôle d'Hector dans la guerre de Troie ?

2 Décrivez et interprétez la position et l'attitude des personnages. Vous vous intéresserez en particulier au visage d'Andromaque : de quelle manière le peintre traduit-il la douleur de la veuve d'Hector ?

3 Montrez que les effets d'ombre et de lumière, ainsi que les couleurs choisies par le peintre, accentuent la dimension pathétique du tableau.

Andromaque ou l'héroïsme en question | LECTURE 2 |

DOCUMENT

• **DECLAN DONNELLAN, mise en scène d'*Andromaque*** (2007) ♦ p. 180 et 3e de couverture

Dans sa mise en scène de 2007, Declan Donnellan met en évidence le poids du passé qui pèse sur les personnages d'*Andromaque*. Fils de héros ou d'héroïnes, ils peinent tous à se construire leur propre destin. Astyanax, présent sur scène, est le premier dont ils envisagent le sacrifice. Dans cette image, Astyanax (Sylvain Levitte) semble considérer avec envie et perplexité une figurine de superhéros, sous le regard à la fois paternel et menaçant de Pyrrhus (Christophe Grégoire).

QUESTIONS

1 Décrivez les costumes des personnages. Renvoient-ils à une époque précise? Justifiez votre réponse.

2 Analysez l'attitude de Pyrrhus à l'égard d'Astyanax. Quels signes traduisent le sentiment de supériorité de Pyrrhus sur le jeune homme?

3 Quel sens donnez-vous à la présence de l'objet que manipule Astyanax? Montrez que l'image révèle le questionnement des personnages sur l'héroïsme.

Les personnages mythologiques

Achille : fils de Pélée, le roi de Phthie (ancienne région de la Grèce antique), et de la déesse Thétis. Il est le roi d'Épire. Après la mort de son ami Patrocle, il reprend les armes, qu'il avait un temps abandonnées sous l'effet d'une mémorable colère. C'est à ce moment qu'il tue Hector. Il accepte toutefois de rendre le cadavre à Priam, son père. Pâris, frère d'Hector, le tue d'une flèche au talon, seul endroit de son corps qui n'avait pas été trempé dans le fleuve des Enfers, et qui n'était donc pas invincible. Pyrrhus est son fils.

Agamemnon : fils d'Atrée, époux de Clytemnestre, roi de Mycènes. Il est le père d'Oreste, ainsi que de trois filles, dont Électre et Iphigénie. Il accepte de livrer cette dernière en sacrifice aux dieux, pour que les vents redeviennent favorables à sa flotte, prête à partir en guerre contre les Troyens. Il est le chef des Grecs dans la guerre contre Troie. À son retour, il est assassiné par Égisthe, l'amant de sa femme.

Astyanax : fils d'Hector et d'Andromaque, descendant des rois de Troie. Certaines traditions, que Racine ne suit pas, veulent qu'il n'ait pas survécu à la guerre de Troie : il aurait été tué par Pyrrhus. Racine fait de lui l'un des enjeux essentiels de sa pièce.

Cassandre : fille de Priam et d'Hécube, sœur de Pâris. Dotée de la capacité de prédire l'avenir, elle prévoit l'origine et le déroulement de la guerre de Troie. Mais personne ne la croit. Après la chute de Troie, Agamemnon revient avec elle à Mycènes. Elle lui donne deux enfants.

Hector : fils de Priam, frère de Pâris, époux d'Andromaque et père d'Astyanax. Il défend Troie avec héroïsme. Il tue Patrocle, avant d'être tué par Achille, qui attache son cadavre à son char et le traîne autour des murailles de Troie. Andromaque veut lui rester fidèle.

Hécube : femme de Priam, reine de Troie. Après la chute de la ville, elle est la prisonnière d'Ulysse. Elle connaît une fin tragique.

Hélène : fille de Zeus et de Léda, femme de Ménélas, mère d'Hermione. Elle est réputée pour sa grande beauté. Son enlèvement par le prince troyen Pâris, auquel la déesse Aphrodite avait promis l'amour de la plus belle femme du monde, déclenche la colère des Grecs et provoque la guerre de Troie.

Ménélas : roi de Sparte, frère d'Agamemnon, époux d'Hélène et père d'Hermione. En mari déshonoré par Pâris, il réunit les Grecs pour mener l'expédition militaire contre Troie.

Polyxène : fille de Priam et d'Hécube. Après la mort d'Achille, dont elle était aimée et qu'elle aurait dû épouser, elle est la prisonnière de Pyrrhus, qui la sacrifie sur le tombeau d'Achille.

Priam : dernier roi de Troie, trop vieux pour combattre au moment de la guerre. Pâris, Cassandre et Hector comptent parmi ses très nombreux enfants. Il est tué par Pyrrhus lors de la prise de la ville.

Ulysse : héros de l'*Iliade* et de l'*Odyssée* d'Homère (VIIIe siècle av. J.-C.). Il est le roi d'Ithaque et l'un des chefs grecs contre Troie. Il est appelé « l'ingénieux Ulysse » (*Andromaque*, v. 74) à cause de sa ruse : après dix ans de siège, il a l'idée fameuse du « cheval de Troie », qui permet aux Grecs d'entrer en cachette dans la ville et de surprendre les Troyens. Les Grecs lui doivent leur victoire.

70 La Fontaine
Fables

78 Laroui
De quel amour blessé

82 Anthologie
Écrire, publier, lire

75 Marivaux
Les Acteurs de bonne foi

50 Marivaux
La Double Inconstance

46 Marivaux
L'Île des Esclaves

12 Marivaux
Le Jeu de l'amour et du hasard
L'Épreuve

30 Maupassant
Bel-Ami

52 Maupassant
Le Horla et autres
nouvelles fantastiques

18 Maupassant
Nouvelles

27 Maupassant
Pierre et Jean suivi de
trois nouvelles réalistes

40 Maupassant
Une vie et autres **récits de destins**
de femmes

48 Mérimée
Carmen - Les Âmes du purgatoire

74 Mérimée
Lokis

1 Molière
Dom Juan

19 Molière
L'École des femmes
La Critique de l'École
des femmes

25 Molière
Le Misanthrope et autres textes
sur **l'honnête homme**

9 Molière
Le Tartuffe ou l'Imposteur
Lettre sur la comédie de
l'Imposteur

86 Montaigne
Essais
et autres textes
sur **la question de l'homme**

45 Montesquieu
Lettres persanes

81 Musset
Les Caprices de Marianne

10 Musset
Lorenzaccio et autres textes
sur **la question politique**

54 Musset
On ne badine pas avec l'amour

35 La poésie
française au XIXe siècle

26 Rabelais
Pantagruel - Gargantua

34 Racine
Andromaque suivi d'une
anthologie sur les héroïnes tragiques

22 Racine
Bérénice

45 Racine
Britannicus

7 Racine
Phèdre

64 Rimbaud
Poésies
(Poésies - Une saison en enfer
Illuminations)

79 Rotrou
Le Véritable Saint Genest

37 Rostand
Cyrano de Bergerac
Lettres de Cyrano de Bergerac

68 Sophocle
Œdipe-roi

69 Shakespeare
Hamlet

72 Shakespeare
Roméo et Juliette

65 Stendhal
Les Cenci

32 Stendhal
Le Rouge et le Noir

77 Trouillot
Bicentenaire

67 Verlaine
Poèmes saturniens
Fêtes galantes
Romances sans paroles

84 Vigny
Chatterton

13 Voltaire
Candide ou l'Optimisme

24 Voltaire
L'ingénu

56 Voltaire
Micromégas et autres contes

33 Voltaire
Zadig

63 Zola
Au Bonheur des Dames

29 Zola
L'Assommoir

85 Zola
La Bête humaine et autres textes
sur **la figure du criminel**

49 Zola
La Curée

76 Zola
La Fortune des Rougon

28 Zola
Germinal

43 Zola
Thérèse Raquin
Un mariage d'amour